Anna Breitsameter | Sabine Glas-Peters
Ines Haelbig | Angela Pude

MOMENTE A2.1

DEUTSCH ALS FREMDSPRACHE

Arbeitsbuch
PLUS INTERAKTIVE VERSION

Hueber Verlag

3. 2. 1.   Die letzten Ziffern
2026 25 24 23 22   bezeichnen Zahl und Jahr des Druckes.
Alle Drucke dieser Auflage können, da unverändert,
nebeneinander benutzt werden.
1. Auflage
© 2022 Hueber Verlag GmbH & Co. KG, München, Deutschland
Umschlaggestaltung: Sieveking · Agentur für Kommunikation, München
Layout und Satz: Sieveking · Agentur für Kommunikation, München
Verlagsredaktion: Julia Guess, Isabel Krämer-Kienle, Timea Thomas und Nikolin Weindel, Hueber Verlag, München
Druck und Bindung: Firmengruppe APPL, aprinta druck GmbH, Wemding
Printed in Germany
ISBN 978–3–19–011792–5

Art. 530_26386_001.01

Wegweiser

LEKTION – AUFBAU

Abwechslungsreiche Übungen zu **W** Wortschatz, **G** Grammatik und **K** Kommunikation, Partneraufgabe	Aussprache, Sprechen, Schreiben und Mediation	Grammatik entdecken

 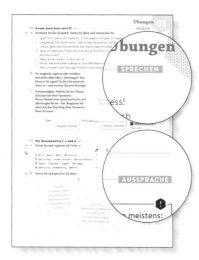 

MODULENDE – AUFBAU

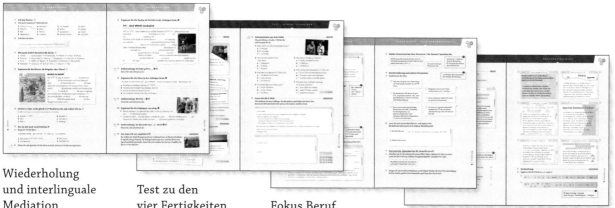

Wiederholung <br> und interlinguale
 Mediation

Test zu den <br> vier Fertigkeiten

Fokus Beruf

Prüfungstraining (vier Seiten)

ANHANG – AUFBAU

 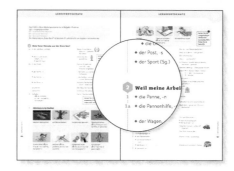 

Binnendifferenzierende Aufgaben

Lernwortschatz

Lösungen zu den
 Fertigkeitentests

Inhalt

Mein Vater Vittorio war der Erste hier!

1 **Was feiert man? Finden Sie noch fünf Wörter und ordnen Sie zu.** Ⓦ KB 1

weihnachten|jubiläumgeburtstagsilvesterosternhochzeitstag

1 Weihnachten   3 _____   5 _____

2 _____   4 _____   6 _____

2 **Ergänzen Sie und beantworten Sie dann die Frage.** Ⓦ KB 3

a Personen aus der Familie heißen auch V e r w a n d t e .

  3

b Mein Vater und meine Mutter sind meine _____ .

  4

c Mein Bruder und meine Schwester sind meine _____ .

  6   1

d Der Sohn von meinem Bruder oder meiner Schwester ist mein _____ .

  7

e Die Tochter von meinem Bruder oder meiner Schwester ist meine _____ .

  5   2

Frage: Woher kommt Vittorio? **Lösung:** Vittorio kommt aus ___ a ___ .

  1 2 3 4 5 6 7

3 **Fußball** Ⓦ KB 3

a Was passt? Lesen Sie und ordnen Sie zu.

~~Europameisterschaft~~ Finale Länder Mal Preis Reportagen Team

---

www.sportsportsport.de   ✕

| START | FUSSBALL | WINTERSPORT | VIDEOS | MEHR |

Glück für Italien

Die erste Europameisterschaft (1) hat 1968 in Italien stattgefunden.

31 _____ (2) haben mitgemacht. Am Ende hat das _____ (3)

in Rom zweimal stattgefunden. Denn beim ersten _____ (4) hat das

Spiel 1:1 geendet. Erst zwei Tage später hat das _____ (5)

aus Italien gewonnen und den _____ (6), den Europapokal 🏆, bei

der Final-Show bekommen.

Alles über Fußball: Lesen Sie Interviews und _____ (7). mehr

---

b Partneraufgabe: Ihre Freundin mag Fußball. Schicken Sie ihr eine Sprachnachricht und erzählen Sie von dem Text auf der Webseite in a.

▶ ━━━━━━●━━━━━━━━━

[Ich habe auf www.sportsportsport.de einen Text gelesen. Über die Fußballeuropameisterschaft. Das war sehr interessant! Die erste Europameisterschaft … Besonders war: …]

4 Urlaub früher G 🔍 KB 3

a Lesen Sie den Forumsbeitrag und markieren Sie alle Partizipien **grün**.

Isa Wir <u>sind</u> früher im Sommer oft zu unseren Verwandten nach Griechenland 10:04 Uhr
(ge)flogen. Meistens sind wir vier Wochen bei ihnen geblieben. Mein Großvater <u>hat</u> immer viel erzählt, aber ich habe nicht viel verstanden. Denn er hat nur Griechisch gesprochen. Meine Großmutter hat mich oft zum Markt mitgenommen. Dort haben wir zusammen Obst und Gemüse verkauft und Käse und andere Lebensmittel probiert und eingekauft. Für meine Hilfe habe ich sogar ein paar Euro bekommen! 😄 Manchmal bin ich ganz früh aufgestanden und allein an den Strand gegangen. Ich bin dann sehr lange geschwommen. Das war toll.
Wohin seid ihr früher im Urlaub gefahren? Was habt ihr dort gemacht? Ist euch einmal etwas Besonderes passiert?

b Sehen Sie noch einmal die Partizipien in **a** an und umkreisen Sie (ge). Lesen Sie dann die Regel und kreuzen Sie an.

> ❗ Bei Verben auf *-ieren*, *ver-*, *be-*, *er-* ist das Partizip ○ mit ○ ohne *ge*.

c Lesen Sie den Text in **a** noch einmal und <u>unterstreichen</u> Sie *haben* und *sein*. Machen Sie dann eine Liste.

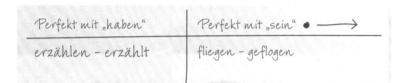

Perfekt mit „haben"	Perfekt mit „sein" ● ⟶
erzählen – erzählt	fliegen – geflogen

5 Lesen Sie die Antworten auf den Forumsbeitrag in 4a. G KB 3

a Ergänzen Sie *haben* oder *sein* in der richtigen Form.

Luca Wir _sind_ (1) früher nie geflogen. Meistens _____ (2) wir mit dem Auto nach 12:56 Uhr
Italien gefahren. Dort hatte meine Tante ein Haus am Meer. Ich _____ (3) oft an den Strand gegangen und _____ (4) viel geschwommen. Das _____ (5) mir immer besonders Spaß gemacht. Das Essen war auch immer super. In Italien _____ (6) ich das erste Mal Fisch probiert und ich _____ (7) fast jeden Tag Eis gegessen. Leider _____ (8) meine Tante das Haus vor ein paar Jahren verkauft. 🙁

b Ergänzen Sie die Verben in der richtigen Form.

Tessa Ich _bin_ immer mit meinen Eltern nach Spanien _geflogen_ (fliegen) (1). 18:07 Uhr
Aber mit 17 Jahren _____ ich das erste Mal allein zu Hause _____
(bleiben) (2). Es _____ nicht viel _____ (passieren) (3), aber für mich
war es super. Ich _____ spät ins Bett _____ (gehen) (4) und _____
noch später _____ (aufstehen) (5). Am Tag _____ ich nicht viel
_____ (machen) (6). Manchmal _____ ich _____ (kochen) (7).
Meistens _____ ich Pizza oder Hamburger _____ (essen) (8).
Einmal pro Woche _____ ich _____ (einkaufen) (9). Am Abend
_____ Freunde mich in die Disko _____ (mitnehmen) (10).

➕ NOCH MEHR? Seite 94

sieben

7

6 Was haben Sie früher im Urlaub gemacht? KB 3 ————————— SCHREIBEN

Schreiben Sie einen eigenen Forumsbeitrag wie in 5.

www.gutefrage-guteantwort.de ×

Ich Ich bin früher oft mit meiner Familie ... 21:01 Uhr

---

7 Wortakzent beim Partizip mit *ge* KB 4 ————————— AUSSPRACHE

1 ◀)) **a** Hören Sie und (umkreisen) Sie den Wortakzent.
01

1 laufen – gelaufen   4 essen – gegessen
2 gehen – gegangen   5 einkaufen – eingekauft
3 arbeiten – gearbeitet 6 aufstehen – aufgestanden

> **!**
> Der Wortakzent
> ist nie auf *ge*.

1 ◀)) **b** (Umkreisen) Sie den Akzent der **markierten** Wörter. Hören Sie dann und sprechen Sie nach.
02–04

1
Ich habe den
ganzen Tag gesessen
und viel zu
viel gegessen.

2
Wir haben gefeiert,
getanzt und gelacht.
Das hat uns allen
Spaß gemacht.

3
Ich bin Rad
gefahren, gelaufen
und geschwommen.
Leider habe ich keinen
Preis gewonnen.

---

8 Sehen Sie das Bild an. Was machen die Kinder? Ⓦ KB 5

Finden Sie Nomen und Verben. Bilden Sie dann passende Sätze.

süßigkeiten|papierflugzeugtagebuch   essen|springenbastelnspielen
skateboardbäumedraußen   bauenkletternschreiben
comicspuppenschneemannseil   übernachtenlesenfahren

1. Die Kinder essen
   Süßigkeiten.
2. Ein Junge ...
3. Ein Mädchen und
   ein Junge ...

9 Schreiben Sie Fragen und Ihre Antworten. Ⓚ Ⓖ KB 5

a getragen | du | hast | die Kleidung von deinen Eltern |
als Kind gern | ?

b du | ohne Schuhe | bist | gelaufen | ? | als Kind gern

c früher manchmal im Schwimmbad | du | gesprungen |
bist | ? | vom Zehn-Meter-Brett

d du | ein Baumhaus | hattest | ? | in deiner Kindheit

a. ○ Hast du als Kind gern
   die Kleidung von deinen
   Eltern getragen?
○ Nein, ich habe nie ...

10 Was bedeutet das? Verbinden Sie. Ⓦ Ⓖ KB 6

1 **In einem Monat** habe ich Geburtstag.
2 **Vor einem Monat** haben wir geheiratet.
3 **Einmal pro Monat** mache ich einen Kochkurs.

a Letzten Monat …
b Jeden Monat …
c Nächsten Monat …

11 Ergänzen Sie *letzt-, nächst-* **oder** *jed-.* Ⓖ KB 6

● ● ●   www.meine-Geschichte-Blog.de   ✕

Mein Januar

Das neue Jahr hat gut angefangen. Bis jetzt mache ich _jeden_ (1)

Tag 20 Minuten Yoga und gehe _____ (2) Dienstag auch

schwimmen. _____ (3) Woche hatte ich frei. Ich hatte

viel Zeit und bin _____ (4) Freitag mal wieder ins Kino

gegangen. Jetzt arbeite ich wieder. _____ (5)

Wochenende fahre ich mit Freunden nach Salzburg. Ich freue mich

schon. _____ (6) Woche muss ich einen Marketingkurs

machen. Hoffentlich ist er interessant.

	JANUAR		
SO	01	Yoga	
MO	02	Yoga	
DI	03	Yoga / schwimmen	Urlaub
MI	04	Yoga	
DO	05	Yoga	
FR	06	Yoga / Kino	
SA	07	Yoga	
SO	08	Yoga	
MO	09	Yoga	
DI	10	Yoga / schwimmen	
MI	11	Yoga	
DO	12	Yoga	
FR	13	Yoga	
SA	14	Yoga	Ausflug nach Salzburg
SO	15	Yoga	
MO	16	Yoga	
DI	17	Yoga / schwimmen	Marketingkurs
MI	18	Yoga	
DO	19	Yoga	
FR	20	Yoga	
SA	21	Yoga	
SO	22	Yoga	

12 Lesen Sie die Textnachrichten und beantworten Sie sie. Ⓖ KB 6

A
Was hast du letztes Wochenende gemacht?

C
Hast du schon Pläne für nächstes Wochenende?

B
Ich gehe jeden Montag ins Fitnessstudio. Machst du auch einmal pro Woche Sport oder einen Kurs? Oder öfter? An welchem Wochentag?

A Letztes Wochenende habe ich …

13 Hören Sie die Geschichten A und B. Ⓚ KB 7

1◀⑴
05–06

Was hören Sie in Geschichte A, was in Geschichte B? Kreuzen Sie an.

	A	B
a <u>Also passt auf</u>: Ich habe ihn am ersten Schultag kennengelernt.	☒	○
b <u>Ich habe euch noch gar nicht von</u> meinem neuen Freund Jonas <u>erzählt, oder</u>?	○	○
c <u>Kennt ihr</u> meinen alten Freund Lukas <u>schon</u>?	○	○
d <u>Und wisst ihr was</u>: Jetzt ziehen wir zusammen in eine WG.	○	○
e <u>Und stellt euch vor</u>: Letzte Woche habe ich ihn nach mehr als 10 Jahren in der Mensa getroffen!	○	○

14 Partneraufgabe: Wahr oder erfunden? Ⓚ KB 7 ———————— SPRECHEN

a Erzählen Sie eine Geschichte (wahr oder erfunden). Beantworten Sie erst die Fragen 1–5 mit <u>passenden Ausdrücken</u> aus **13**. Schicken Sie dann Ihrer Partnerin / Ihrem Partner eine Sprachnachricht.

1. Von wem erzählen Sie?
2. Wo haben Sie die Person das erste Mal getroffen?
3. Wie war die Person?
4. Was ist dann passiert?
5. Was ist heute?

b Antworten Sie Ihrer Partnerin / Ihrem Partner. Ist die Geschichte wahr oder nicht?

▶ ——————————●————————

[Ich finde deine Geschichte … Ich glaube, sie stimmt nicht. Denn …]

Weil meine Arbeit wirklich wichtig ist.

1 Meine Panne: Ordnen Sie zu und sortieren Sie dann die Sätze. Ⓦ KB 2

| Hochzeit | | Idee | | Mietfahrrad | | ~~Panne~~ | | Pannenhelfer |

| Pannenhilfe | | Wagen | | Werkstatt |

⟨1⟩ Ich habe euch noch gar nicht von meiner *Panne* (a) erzählt, oder?

◯ Der _____ (b) war schon nach 15 Minuten da. Doch dann hat er gesagt:

◯ „Oh, nein! Nicht heute!", habe ich gedacht.

◯ Und stellt euch vor: Mein _____ (c) ist einfach stehen geblieben.

◯ So habe ich es dann doch noch pünktlich geschafft!

◯ Also passt auf: Ich war auf dem Weg zur _____ (d) von meiner Schwester.

◯ „Das kann ich leider nicht reparieren. Der Wagen muss in die _____ (e)."

◯ Ich war total traurig. Aber wisst ihr was: Der Pannenhelfer hatte eine super _____ (f): Ein _____ (g). Sportlich, sportlich!

◯ Ich habe sofort bei der _____ (h) angerufen und hatte Glück:

2 Bilden Sie noch sieben Wörter und ordnen Sie zu. Ⓦ KB 3

Notieren Sie auch die Artikel.

| ~~Auto~~ | Bat | cal | ~~Cas~~ | ere | fen | Frei | gen | Haupt | kar | le | ~~mes~~ | mi | Mu |

| Pre | Rei | rie | rol | ~~se~~ | si | statt | te | te | ~~ting~~ | Wa | Werk |

A   *das Casting,* _____

B   *die Automesse,* _____

3 Podcast: „Welche Vor- und Nachteile hat dein Job?" Ⓦ KB 3

1 ◀) 07   **a** Finden Sie noch sieben Wörter. Hören Sie dann den Podcast.
Was sagt Pannenhelfer Luc über seine Arbeit? Ordnen Sie zu.

interessant|furchtbarhartleichtokayschönstressigwichtig

1 bei Problemen helfen können: *interessant*
2 im Winter im Freien arbeiten: _____
3 in der Kälte Reifen wechseln: _____
4 im Sommer draußen arbeiten: _____

5 allein arbeiten: _____
6 sehr viel Arbeit haben: _____
7 in den Sommerferien arbeiten: _____
8 am Wochenende arbeiten: _____

b Sehen Sie das auch so? Schreiben Sie Ihre Meinung zu 1–8 in **a**.

1. Nein, das finde ich nicht. Ich finde ...

2. Ja, das finde ich auch ...

4 Wie arbeiten Tessa und Mihail? Schreiben Sie die Sätze anders. Ⓦ Ⓚ KB 4

~~drinnen arbeiten~~ im Freien arbeiten Schicht arbeiten gut verdienen

Überstunden machen feste Arbeitszeiten haben flexible Arbeitszeiten haben

A

Tessa

> Ich arbeite in einer Werkstatt ohne feste Arbeitszeiten. Ich muss manchmal leider auch am Wochenende und nachts arbeiten. Aber ich bekomme jeden Monat ziemlich viel Geld.

Tessa arbeitet drinnen. Sie hat ...

B

Mihail

> Ich arbeite im Tierpark. Meistens bin ich draußen. Ich arbeite jeden Tag von 6 Uhr bis 15 Uhr. Aber manchmal muss ich auch länger arbeiten.

❗ Ich bin flexibel. Ich habe flexible Arbeitszeiten.

5 Tatjana sucht eine Stelle als Krankenschwester. Ⓦ Ⓚ KB 4 ——————— SPRECHEN

a Sie haben eine Anzeige gesehen und wichtige Informationen **markiert**.
Schicken Sie Tatjana eine Textnachricht und beschreiben Sie die Anzeige.

Hallo Tatjana! Ich habe eine Anzeige von der Waldklinik gesehen. Sie suchen eine Kinderkrankenschwester. Man hat keine ...

b Wie ist die Arbeit in der Waldklinik wirklich? Lesen Sie eine Bewertung und **markieren** Sie: Was ist in **a** anders? Schicken Sie Tatjana eine Sprachnachricht.

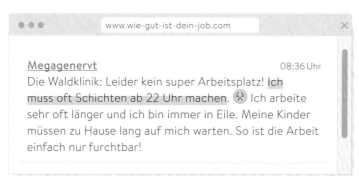

▶ ————————●——————

[Achtung, Tatjana! Auf wie-gut-ist-dein-job.com beschreibt ein Mitarbeiter seinen Berufsalltag in der Waldklinik. Man hat doch Nachtschichten! Mitarbeiter müssen oft ...]

6 Die Konsonantenverbindung *ch* KB 4 ——————— AUSSPRACHE

1 ◀)) 08 **a** Hören Sie und markieren Sie *ch* wie in *ach* und *ch* wie in *ich*.

🔊

1 ach – ich 4 möchte – macht
2 echt – acht 5 nachts – nichts
3 Nacht – Schicht 6 doch – dich

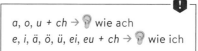

❗ a, o, u + ch → 🔊 wie ach
e, i, ä, ö, ü, ei, eu + ch → 🔊 wie ich

b Hören Sie noch einmal und sprechen Sie nach.

1 ◄)) 09   **c**   Lesen Sie das Gespräch und **markieren** Sie *ch* wie in **a**. Hören Sie dann und überprüfen Sie.

- ○ Diese Woche habe ich Spätschicht.
- □ Ach, stört dich das nicht?
- ○ Doch, das ist nicht immer leicht.
- □ Hast du auch Nachtschichten?

- ○ Ja, aber das macht mir nichts aus.
- □ Echt? Unglaublich!
- ○ Ich habe danach oft acht Tage frei.
- □ Nicht schlecht!

1 ◄)) 10   **d**   Hören Sie das Gespräch noch einmal und sprechen Sie die Rolle □ in **c**.

---

7   **Warum bist du müde? Weil ich ...** Ⓦ Ⓖ KB 5

a   Lesen Sie die Mini-Gespräche. Was passt? Ordnen Sie zu.

| auf | ~~de~~ | ge | glück | lich | ~~mü~~ | regt | rig | trau |

1 ○ Warum bist du _müde_ ?
    □ Weil ich nur fünf Stunden geschlafen **habe**.

2 ○ Warum bist du _____ ?
    □ Weil das Konzert ein Erfolg war.

3 ○ Warum bist du _____ ?
    □ Weil ich morgen eine Prüfung schreiben muss.

4 ○ Warum bist du _____ ?
    □ Weil das Festival nicht stattfindet.

b   Lesen Sie die *weil*-Sätze in **a** noch einmal und **markieren** Sie die konjugierten Verben. Kreuzen Sie dann an.

> konjugiertes Verb = Verb + Endung → passt zur Person, z. B. ich habe, du hast, er hat ...

> In *weil*-Sätzen steht das konjugierte Verb ○ am Anfang ○ am Ende .

---

8   **Jannis' Panne. Ordnen Sie zu und schreiben Sie Antworten mit *weil*.** Ⓖ KB 5

| ~~Er hatte einen Termin für ein Casting.~~   Jannis möchte Danke sagen. |
| Branko hat ihm schnell geholfen.   Die Batterie war nicht in Ordnung. |

a Warum war Jannis so nervös? *Weil er einen Termin für ein Casting hatte.*

b Warum ist das Auto nicht gestartet? _____

c Warum war Jannis pünktlich? _____

d Warum hat Branko Freikarten bekommen? _____

---

9   **Partneraufgabe: Warum ...** Ⓖ KB 5

Schicken Sie Ihrer Partnerin / Ihrem Partner zwei Textnachrichten mit *warum*-Fragen. Sie / Er antwortet.

> Warum lernst du Deutsch?

> Weil ich in der Schweiz arbeiten möchte.

---

10   **Ich brauche Bewegung, weil ...** Ⓖ KB 7

a   Schreiben Sie die Sätze mit *weil*.

1 Ich brauche Bewegung, denn ich **habe** zu lange im Büro gesessen.

2 Ich fahre nicht gern Ski, denn ich mag die Kälte nicht.

3 Ich mache jeden Abend Yoga, denn ich habe sehr viel Stress.

4 Ich bin oft in der Bibliothek, denn ich kann dort in Ruhe lernen.

> 1. Ich brauche Bewegung, weil ich zu lange im Büro gesessen habe.

b   Lesen Sie die *denn*-Sätze in **a** noch einmal und **markieren** Sie die konjugierten Verben. Kreuzen Sie dann die Regel an und vergleichen Sie mit der Regel in **7b**.

> In *denn*-Sätzen steht das konjugierte Verb ○ vor ○ nach der Person.

11 Warum möchte Fridolin die Berufe nicht lernen? G KB 7

Schreiben Sie Gründe mit *weil* und *denn*.

früh aufstehen müssen

zu viel Stress haben

zu wenig verdienen

A Er möchte auf keinen Fall Busfahrer werden, weil Busfahrer früh aufstehen müssen / denn Busfahrer müssen früh aufstehen.

➕ **NOCH MEHR?**
Seite 95

12 Was passt? Ordnen Sie zu. K KB 8

Das macht mir nichts aus.   ~~Das finde ich ganz schlimm.~~   Das ist mir total wichtig.

Das mache ich überhaupt nicht gern.   Die Arbeit macht Spaß.   Das mache ich besonders gern.

a Das finde ich furchtbar.
b Das finde ich besonders wichtig.
c Ich arbeite total gern.

d Das mache ich gar nicht gern.
e Das finde ich nicht so schlimm.
f Das mache ich am liebsten.

a Das finde ich ganz schlimm.

13 Ist das ein Beruf für dich? K KB 8 ─────────────── SCHREIBEN

a Wie finden Sie Magdalenes Beruf? Lesen Sie das Berufsporträt und kreuzen Sie an.

b Schreiben Sie eine E-Mail an eine Freundin. Wie finden Sie den Beruf
Schauspieler/in? Warum? Schreiben Sie auch einen Gruß.

Liebe …,
ich habe im Internet ein Berufsporträt von einer Schauspielerin gelesen. Ihre Arbeit macht sicher Spaß,
weil sie nie langweilig wird. Jedes Theater-Projekt … Als Schauspieler/in kann man … Das ist mir …

1 Ergänzen Sie die E-Mail. Ⓦ KB 2

auf aus be um vorbei ~~zusammen~~ ver

Hi Felix,

vor einem Monat bin ich von zu Hause .... gezogen (1) und mit

meiner Freundin *zusammen* gezogen (2). 😎 Der Umzug war

megastressig. So schnell möchte ich nicht mehr .... ziehen (3). Aber

jetzt ist die Wohnung fast fertig. Wir müssen nur noch zwei Regale für

das Wohnzimmer .... bauen (4). Jetzt kommt fast jeden Tag

ein Freund .... (5). Ich hoffe, du .... suchst (6) mich auch

bald mal in Leipzig. Ich .... misse (7) dich.

Liebe Grüße

Bernie

---

2 Was passt nicht? Streichen Sie durch. Ⓦ KB 2

a Der Umzug war   anstrengend | möbliert | teuer | stressig.
b Ich finde das Buch   spannend | interessant | gemütlich | furchtbar.
c Eine Reise ins Ausland ist   freundlich | aufregend | anstrengend | langweilig.

3 Wählen Sie ein Verb, ordnen Sie zu und schreiben Sie dann einen Satz. Ⓦ Ⓖ KB 2

Omas Geburtstag   die Familie   die Grammatik   ~~es noch einmal~~   viel Geld   den Bus

| ~~versuchen~~ | verdienen | vergessen |
| vermissen | verpassen | verstehen |

1. Ich versuche es gleich
   noch einmal.

4 Gefällt euch unsere Wohnung? Ⓖ 🔍 KB 3

a Wer sagt das? Ordnen Sie zu.

○ Wir haben lange gesucht. Gefällt euch unsere Wohnung? ①

▢ Peter und Merle? Sie sind wirklich nett. Aber ihre Partys sind ein bisschen langweilig. Und ihr Nachbar nervt. ⬡

○ Ihr hattet Glück. Euer Wohnzimmer ist wirklich schön. Und eure Fenster sind so groß! ⬡

▢ Entschuldigen Sie, aber Ihre Musik ist zu laut. ⬡

b Markieren Sie die Personalpronomen und die passenden Possessivartikel in a. Ergänzen Sie dann die Tabelle.

	wir	ihr	sie	Sie
◆ ◆	unser			Ihr
◆ ◇	unsere			

5 **Lesen Sie und ergänzen Sie *unser, euer* und *ihr* in der richtigen Form.** Ⓖ KB 3

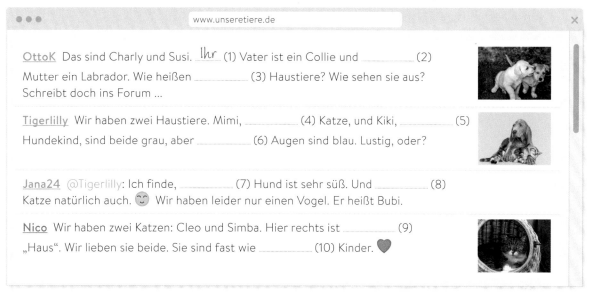

OttoK Das sind Charly und Susi. _Ihr_ (1) Vater ist ein Collie und _____ (2) Mutter ein Labrador. Wie heißen _____ (3) Haustiere? Wie sehen sie aus? Schreibt doch ins Forum ...

Tigerlilly Wir haben zwei Haustiere. Mimi, _____ (4) Katze, und Kiki, _____ (5) Hundekind, sind beide grau, aber _____ (6) Augen sind blau. Lustig, oder?

Jana24 @Tigerlilly: Ich finde, _____ (7) Hund ist sehr süß. Und _____ (8) Katze natürlich auch. 😊 Wir haben leider nur einen Vogel. Er heißt Bubi.

Nico Wir haben zwei Katzen: Cleo und Simba. Hier rechts ist _____ (9) „Haus". Wir lieben sie beide. Sie sind fast wie _____ (10) Kinder. ♥

6 **Wir feiern Weihnachten in unserem Haus.** Ⓖ 🔍 KB 3

a Lesen Sie die E-Mail und markieren Sie die Nomen nach den Possessivartikeln: ▨ (der), ▨ (das), ▨ (die) oder ▨ (Plural).

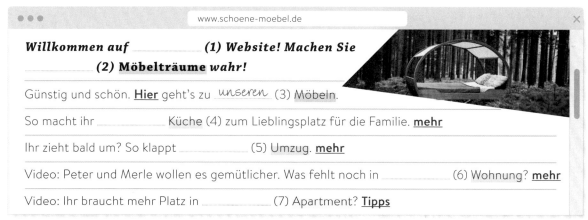

Liebe Helen,
wir sind umgezogen und können Weihnachten in unserem Haus feiern. Wir mögen unsere Zimmer und unseren Garten. Dort können wir auch mit unseren Nachbarn grillen. Die sind echt nett. Aber die Mädchen vermissen ihre Schule und ihre Freunde. Zum Glück können sie viel zusammen machen. Im Moment sind sie in ihrem Kinderzimmer und spielen mit ihrem Zug und ihren Puppen. Da habe ich kurz meine Ruhe und kann dir schreiben. 😌 Und ihr? Was macht ihr? Und wie geht's eurer Tochter?
Bis bald und liebe Grüße, Rike

b Unterstreichen Sie in a *unser-, euer-* und *ihr-* im Akkusativ und Dativ.

7 **Lesen Sie und ergänzen Sie *unser, euer* und *ihr / Ihr*.** Ⓖ KB 3

Benutzen Sie Nominativ, Akkusativ oder Dativ.

www.schoene-moebel.de

Willkommen auf _____ (1) Website! Machen Sie _____ (2) Möbelträume wahr!

Günstig und schön. **Hier** geht's zu _unseren_ (3) Möbeln.

So macht ihr _____ Küche (4) zum Lieblingsplatz für die Familie. **mehr**

Ihr zieht bald um? So klappt _____ (5) Umzug. **mehr**

Video: Peter und Merle wollen es gemütlicher. Was fehlt noch in _____ (6) Wohnung? **mehr**

Video: Ihr braucht mehr Platz in _____ (7) Apartment? **Tipps**

➕ **NOCH MEHR?**

Seite 95

8 Partneraufgabe: Im Norden, im Osten, im Westen oder im Süden? Ⓦ KB 5

Wo sind die Städte? Schreiben Sie eine Textnachricht an Ihre Partnerin / Ihren Partner.
Sie / Er schaut auf der Karte vorn im Buch nach und kontrolliert.

| Zürich | Hamburg | Klagenfurt | München | Köln | Dresden |

Zürich liegt im Norden von der Schweiz.   Hamburg ist …

9 Was ist das Gegenteil? Bilden Sie Wörter und ordnen Sie zu. Ⓦ KB 5

der | lich | ~~mer~~ | ~~sam~~ | schön | sel | sport | ten | wun | ~~zu~~

a ○ Geht Kinga *alleine* ins Kino?
　 □ Nein, sie geht _zusammen_ mit Ben.

b ○ Paul fährt *oft* in die Berge.
　 □ Nein, er macht das nur _____.

c ○ Sind Jo und Tina *nicht fit*?
　 □ Doch, sie sind _____.

d ○ Die Landschaft hier ist *megahässlich*.
　 □ Ich finde, sie ist _____!

10 Landschaften Ⓦ Ⓖ KB 5

a Was stimmt nicht? Sehen Sie die Bilder an und korrigieren Sie die markierten Stellen.

am Ufer | ein Strand | eine Wiese | einen Hügel | ~~im Dorf~~ | in einem Tal | Limonade | Sand

Willkommen in …

Hallo Thorsten,
die Landschaft ist toll. Wir wohnen ~~in der Stadt~~ *im Dorf*
auf einem Berg. Direkt neben unserem Hotel ist
ein Fluss: Am Hafen kann man super joggen. In der
Umgebung gibt es auch einen Wald. Da kann man super
Mountainbike fahren. Gleich daneben ist ein Feld mit
echtem Gemüse! Man kann dort in der Sonne sitzen und
Bier trinken. Übrigens gibt's hier auch ein Meer.
Dort ist alles grün, und es gibt viele Blumen und Tiere.
Viele Grüße aus dem Urlaub! Lydia und Paul

b Finden Sie noch sechs Nomen im Plural und ordnen Sie zu.

ufer|felderhügeldörferwäldertälerwiesen

1 - / ¨ 　 das Ufer – die _Ufer_
　　　　 der Hügel – die _____

2 -(e)n 　 die Wiese – die _____

3 -er / ¨er 　 das Feld – die _____
　　　　　 das Tal – die _____
　　　　　 das Dorf – die _____
　　　　　 der Wald – die _____

c Welche Landschaft gefällt Ihnen und warum? Schreiben Sie einen Text und verwenden Sie Wörter aus a und b.

Ich mag die Alpen sehr gern. Dort gibt es Berge,
Täler und Dörfer. Im Sommer finde ich die Berge
besonders schön, weil …

sechzehn

11 *p*, *t*, *k* am Wortende KB 6 — AUSSPRACHE

1 ◀) 11 @ **a** Ergänzen Sie die Pluralform. Hören Sie und kontrollieren Sie.

1 das Feld   die *Felder* _____   **4** der Berg   die _____

2 das Pferd   die _____   **5** der Urlaub   die _____

3 der Erfolg   die _____   **6** der Unterschied   die _____

1 ◀) 12   **b** Wo hören Sie *p, t oder k* und wo *b, d oder g*? Hören Sie und markieren Sie in **a**.

1 ◀) 13   **c** Wo spricht man am Wortende ein *p, t* oder *k*? Lesen Sie die Regel und markieren Sie.
Hören Sie dann und sprechen Sie nach.

1   Am Abend kommen wir von einem Ausflug nach Freiburg zurück.

2   Ich war im Urlaub in Marburg.

3   Wir waren am Strand und hatten die Füße im Sand.

> **!** Am Wortende spricht man:
> *b* wie *p*, *d* wie *t*, *g* wie *k*

12 Partneraufgabe: Tierrätsel Ⓦ KB 6

Schicken Sie Ihrer Partnerin / Ihrem Partner eine Textnachricht.
Sie / Er antwortet.

> Das Tier ist kleiner als eine Kuh. Aus seiner Milch kann man Käse machen.
>
> das Schaf / die Schafe

13 Ein Ausflug nach Basel Ⓚ KB 7 — SPRECHEN

a Schreiben Sie die Sätze richtig.

> ● ● ●   www.schweizliebhaber.ch   ×
>
> **+ + + TIPPS FÜR TRIPS IN DER SCHWEIZ +**
>
> *Kennt ihr* Basel *schon* (ihr | schon | kennt) (1)? Die Stadt
> _____ (ich | empfehlen | nur | kann) (2).
> _____ (könnt | ihr | dort) (3) am Rheinufer spazieren gehen und im Sommer
> sogar im Rhein schwimmen. _____
> _____ (das | aber | noch | ist | alles | nicht) (4)! Hier gibt es eine Brücke aus dem Jahr 1226.
> _____ die Altstadt (lieben | wir) (5)! Den Tingueli-Brunnen
> _____ (dürft | keinen | auf | verpassen | Fall | ihr) (6).
>
> dort viele Kunstmuseen (es | außerdem | gibt) (7).
>
> einen Ausflug und besucht Basel (doch | macht | mal) (8)!

b Ein Freund möchte nach Basel fahren. Notieren Sie die Tipps aus **a**. Schicken Sie ihm dann eine Sprachnachricht und erzählen Sie.

▶ ──────●──────

[Du möchtest doch nach Basel fahren. Ich habe im Internet Tipps gelesen. Dort kannst du ... ... darfst du auf keinen Fall verpassen. Außerdem gibt es ...]

14 Tipps für einen Ausflug in Ihre Stadt oder Ihre Region Ⓚ KB 7 — SCHREIBEN

Machen Sie Notizen und schreiben Sie dann einen Text. Verwenden Sie Ausdrücke aus **13**.

1 Ich lese Comics. Ⓦ

a Was passt zusammen? Verbinden Sie.

1 Comics	a springen	5 mit Puppen	e essen
2 Schicht	b lesen	6 Reifen	f spielen
3 Seil	c fahren	7 Süßigkeiten	g bauen
4 Skateboard	d arbeiten	8 Schneemänner	h wechseln

b Schreiben Sie Sätze.

> 1. Im Winter baue ich im Garten immer einen Schneemann.

2 Was passt nicht? Streichen Sie durch. Ⓦ

a Arbeit: ◆ Überstunden | ◆ Frühschicht | ◆ ~~Frosch~~ | ◆ Stress | ◆ Erfolg

b Musical: ◆ Hauptrolle | ◆ Casting | ◆ Süßigkeiten | ◆ Freikarte | ◆ Premiere

c Auto: ◆ Neffe | ◆ Wagen | ◆ Werkstatt | ◆ Batterie | ◆ Pannenhilfe

d Getränke: ◆ Limonade | ◆ Saft | ◆ Pferd | ◆ Wasser | ◆ Bier

3 Ergänzen Sie die Wörter im Singular oder Plural. Ⓦ

ERLEBEN SIE BRIENZ!

Das D orf (1) liegt in einem T_____ (2), direkt am
U_____ (3) des Brienzersees im Berner Oberland.
Am S_____ (4) können Sie im S_____ (5) liegen
und in der Sonne faulenzen. Nur ein paar Meter weiter
sind H_____ (6) und Berge. Perfekt zum Wandern! Das
F_____ (7) und die W_____ (8) in der Umgebung
sind wunderschön! Kinder können ganz viel lernen, z. B.:
Wie schmeckt Milch von der K_____ (9) oder vom
S_____ (10)? Wie machen die B_____ (11) den
Honig? Kommen Sie vorbei!

4 Gleich (=) oder nicht gleich (≠)? Markieren Sie und ordnen Sie zu. Ⓦ

hart|drinnenspannendanstrengendseltenflexibel

a schwer = _hart_	**d** draußen ≠ _____
b oft ≠ _____	**e** aufregend = _____
c fest ≠ _____	**f** stressig = _____

5 Das ist mir auch total wichtig. Ⓚ

a Ergänzen Sie die Sätze.

~~auch total wichtig~~   ganz schlimm   mir nichts aus   nur empfehlen

1 Das ist mir _auch total wichtig_____.   3 Das macht _____.
2 Das kann ich _____.   4 Das finde ich _____.

b Hören Sie und sprechen Sie die Sätze zu Ende. Benutzen Sie die Aussagen aus **a**.
🔊 1
14–17

6 Ergänzen Sie die Verben im Perfekt in der richtigen Form. Ⓖ

FIT – DAS SPORT-MAGAZIN

FIT: Sie *haben* beim Franken-Mountainbike-Marathon *gewonnen* (gewinnen) (1) und
einen Preis _____ (bekommen) (2). Wie _____ Sie
das _____ (schaffen) (3)?
Alex Blum: Vielen Dank. Die letzten Wochen _____ ich jeden Tag
um sechs Uhr _____ (aufstehen) (4) und 50 bis 70 km
_____ (fahren) (5). In den letzten Jahren _____ ich bei
vielen Triathlon-Wettbewerben _____ (mitmachen) (6),
_____ also auch viel _____ (schwimmen) (7) und
_____ (laufen) (8). Dieses Training _____ mir sehr
_____ (helfen) (9). Dann _____ mir ein Freund von dem Bike-Marathon
_____ (erzählen) (10): Ich _____ es einfach _____ (probieren) (11),
es _____ mir super _____ (gefallen) (12). Nächstes Jahr bin ich wieder dabei.

1 ◀)) **7** **Audiotraining:** *Ich habe gehört, ...* Ⓖ Ⓚ
18
Hören Sie und antworten Sie.

8 Ergänzen Sie die Sätze in der richtigen Form. Ⓖ

die Gäste oft unfreundlich sein ~~gut verdienen~~ meistens im Ausland arbeiten Waldarbeiter sein

a Ricarda hat viel Geld, weil sie *gut verdient* _____.
b Hannes arbeitet jeden Tag draußen, denn er _____.
c Marco ist selten zu Hause, weil er _____.
d Lina mag ihre Arbeit in der Bar nicht, denn _____

1 ◀)) **9** **Audiotraining:** *Weil ich ...* Ⓖ Ⓚ
19
Hören Sie und antworten Sie.

10 Ergänzen Sie die Endungen, wo nötig. Ⓖ

○ Hanna und Leon, ihr seht auf dem Foto ja süß aus! Und das sind
eur_____ (1) Großeltern, oder?

▢ Ja, das ist unser_____ (2) Opa Johann, und das ist unser_____ (3) Oma Marlies. In ihr_____ (4)
Haus ist ein Garten, der ist toll. In unser_____ (5) Ferien waren wir immer dort.

1 ◀)) **11** **Audiotraining:** *Ist das nicht euer ...? – Doch!* Ⓖ Ⓚ
20
Hören Sie und antworten Sie.

1 ◀)) **12** **Das kann ich nur empfehlen!** Ⓚ ————————————— SPRECHEN
21
Sie wollen mit einem Freund aus Ihrem Land nach Graz in Österreich fahren.
Er spricht wenig Deutsch. Ihr Kollege kommt aus Graz und hat Ihnen eine
Sprachnachricht geschickt. Hören Sie und machen Sie Notizen. Erzählen Sie
dann in Ihrer Sprache.

1 **Lesen Sie den Text und die Aufgaben a–g.** ──────────────── LESEN

Ergänzen Sie: richtig (r) oder falsch (f)?

---

www.jobsaufdemland.de ✕

Einen Sommer in den Bergen mit vielen Tieren erleben … Hast du auch
schon immer davon geträumt? Auch Anni, 26 Jahre alt, hatte diesen
Traum. Letztes Jahr hat sie vier Monate in der Schweiz
gearbeitet. Hier erzählt sie von ihrem Job.

5 Ich studiere Medizin in Mannheim. Und ich liebe Tiere und die Berge!
Weil ich viel Stress an der Uni hatte, habe ich eine Pause gebraucht.
Ich habe lange gesucht, dann habe ich im Internet diesen Sommerjob
in der Schweiz gefunden. Die Alm ist oben in den Bergen, 1624 Meter
hoch. Die Landschaft mit den Wiesen und der Blick ins Tal sind einfach

Anni Meisner
auf der Alm

10 toll. In den Sommermonaten sind 28 Kühe und 15 Schafe auf der Alm. Meistens war es sehr
ruhig. Nur manchmal sind am Wochenende ein paar Wanderer vorbeigekommen und haben
bei uns Pause gemacht. Jeden Tag habe ich aus der Kuhmilch Butter und Käse gemacht.
Abends hatte ich Schmerzen in den Armen und im Rücken. Das war richtig hart, aber es hat
mich nicht gestört. Und wisst ihr was? Nach drei Wochen war es normal und ich hatte keine

15 Schmerzen mehr. Natürlich habe ich nicht viel Geld verdient, aber das war auch nicht
wichtig. Ich habe viel gearbeitet, war aber nicht in Eile. Das war super – und das ist eben
der Unterschied zum Leben in der Stadt und zum Studium. Jetzt geht es mir viel besser.
Wollt ihr auch so etwas machen? Dann habe ich vier Tipps für euch.
1. Es gibt nicht so viele Jobs. Ihr müsst früh suchen, am besten schon im Winter.

20 **2.** Bleibt auf jeden Fall 100 Tage. Ein oder nur zwei Monate sind zu wenig.
3. Die Arbeit ist echt hart und ihr seid manchmal einsam. Seid nicht verzweifelt!
4. Lebt langsamer. Dann wird der Stress weniger.

---

a Anni hat zwei Jahre in der Schweiz
  gearbeitet. (f)

b Ihr Studium war sehr anstrengend. ⬡

c Sie hat die Stelle sofort gefunden. ⬡

d Jeden Tag sind viele Leute vorbeigekommen. ⬡

e Die Arbeit auf der Alm hat ihr nichts ausgemacht. ⬡

f Für ihre Arbeit hat sie viel Geld bekommen. ⬡

g Anni findet, das Leben auf
  der Alm ist zu langsam. ⬡

_____ / 6 Punkte

---

2 **Lesen Sie die E-Mail und antworten Sie.** ──────────── SCHREIBEN

Schreiben Sie zu jedem Punkt ein bis zwei Sätze. Die Notizen helfen Ihnen.
Denken Sie auch an die Anrede und den Gruß.

● ● ● ✕

Hi,
nun haben wir uns sooo lange nicht mehr
gesehen. Sollen wir mal wieder etwas
gemeinsam machen? Stell dir vor, ich habe zwei
Freikarten für das Musical im Landestheater
gewonnen. Zur Premiere!! Die Veranstaltung
beginnt nächsten Mittwoch um 17 Uhr. Ab
20 Uhr kann man die Schauspielerinnen und
Schauspieler treffen. Hast du Zeit und Lust?
Viele liebe Grüße und hoffentlich bis bald
Remus

1. tolle Idee, Sie lieben Musicals
2. am Mittwoch keine Zeit – Schicht
3. andere Veranstaltung am Wochenende?
4. danach gemeinsam in eine Bar gehen?

_____ / 6 Punkte

3 **Coole Tipps für Hamburg** ———————————————————————— SPRECHEN

a Sie möchten mit Ihrer Partnerin / Ihrem Partner nach Hamburg fahren.
Lesen Sie den Text und machen Sie Notizen.

www.tolle-staedtetipps.de/hamburg ×

DIE WASSERSTADT HAMBURG

FISCHMARKT

Jeden Sonntag von
5:00 bis 9:30 Uhr geöffnet
(im Winter ab 7:00 Uhr).

MARITIMES MUSEUM

Mitten in der Speicherstadt:
Erleben Sie die Geschichte
der Schifffahrt.

FEUERSCHIFF

Hier können Sie in der
Bar oder im Restaurant
eine Pause machen.

**HAFENCITY
VIEWPOINT**

Von dem 13 Meter hohen
Turm im Baakenhafen haben
Sie eine tolle Aussicht.

ELBPHILHARMONIE

Ein Konzerthaus mit einer
besonderen Architektur.
Direkt in der Hafencity.

**MUSEUMSHAFEN
OEVELGÖNNE**

Der älteste deutsche
Museumshafen. Mit Schiffen
aus der Zeit 1880–1980.

- Wohin? Hamburg!   - Warum? Schöne Stadt + viel Wasser!
- Nicht verpassen: 1. …, 2. …, 3. …, 4. …

b Schicken Sie Ihrer Partnerin / Ihrem Partner eine Sprachnachricht. Machen Sie mindestens
vier Vorschläge. Was möchten Sie in Hamburg unbedingt gemeinsam machen?
Die Sätze aus dem Kursbuch (Lektion 3, Aufgabe 7) helfen Ihnen.   .... / 6 Punkte

1 ◀)) **4** **Wo und wie arbeiten die Personen?** ———————————————————————— HÖREN
22–28
Hören Sie und kreuzen Sie an. Pro Text gibt es nur eine Antwort.

	im Büro arbeiten	draußen arbeiten	flexible Arbeitszeiten haben	im Ausland arbeiten
Text 1	⊠	○	○	○
Text 2	○	○	○	○
Text 3	○	○	○	○
Text 4	○	○	○	○
Text 5	○	○	○	○
Text 6	○	○	○	○
Text 7	○	○	○	○

.... / 6 Punkte

☺ 20 – 24 Punkte
😐 13 – 19 Punkte
☹ 0 – 12 Punkte

www.berufe-netz.com   ✕

KATHARINA JACOBI

204 Kontakte 👥

🖥 Bachelor Umwelt- und Betriebswirtschaft

📍 Hamburg, Deutschland

Über mich:

Ich komme aus Norddeutschland und habe in Freiburg studiert. Jetzt bin ich nach vier Jahren wieder in den Norden gezogen: nach Hamburg. Im Moment bin ich auf Arbeitssuche.
Tiere, Pflanzen, Natur … das finde ich wichtig.

✉→

1   **Woher kommt Katharina Jacobi, wo hat sie studiert und wo lebt sie jetzt?**
Was macht sie beruflich? Lesen Sie Katharinas Profil und sprechen Sie.

2   **Katharina Jacobi sucht eine Stelle.**

1 🔊 29   **a**   Hören Sie das Gespräch zwischen Katharina und Magnus. Was ist das Thema? Welche Idee hat Magnus? Sprechen Sie.

1 🔊 30   **b**   Lesen Sie den Fragebogen und ergänzen Sie *wann*, *was*, *wie* und *wo*. Hören Sie dann weiter und füllen Sie den Fragebogen für Katharina aus.

www.jobcoaching_hamburg.de   ✕

JOBCOACHING IN HAMBURG – IN DER SPEICHERSTADT

Sie suchen eine Stelle? Wir beraten Sie gern. Das Gespräch findet online oder hier bei uns in der Speicherstadt statt.

Bitte beantworten Sie vor dem ersten Termin folgende Fragen:

1 _____ haben Sie bisher gemacht?	○ Ausbildung ✕Studium ○ Arbeit	
2 *Wo* haben Sie bisher gearbeitet / studiert?		
3 _____ möchten Sie am liebsten arbeiten?	○ draußen	○ drinnen
4 _____ möchten Sie am liebsten arbeiten?	○ allein	○ im Team
5 _____ möchten Sie am liebsten arbeiten?	○ Mo – Fr	○ am Wochenende
	○ tagsüber	○ in der Nacht
6 _____ sind Ihre Wunsch-Arbeitszeiten?	○ fest	○ flexibel

Fragebogen abschicken ✉→

Bitte vereinbaren Sie mit uns einen Termin per E-Mail (jobcoaching_hamburg@gnx.de) oder unter 040 998978.

c   *Wie*, *wo* und *wann* arbeiten Sie am liebsten oder möchten Sie am liebsten arbeiten? Sprechen Sie mit Ihrer Partnerin / Ihrem Partner.

> Ich bin Taxifahrer. Am liebsten fahre ich in der Nacht, da sind die Leute am interessantesten.

3 Gespräch mit Frau Schulz

1 🔊 **a** Wer ist Frau Schulz? Was ist ihre Aufgabe? Hören Sie den Anfang des Gesprächs
31   und vergleichen Sie Ihre Antworten im Kurs.

1 🔊 **b** Hören Sie das Gespräch weiter und kreuzen Sie an.
32

1 In Katharinas Studium gab es ☒ auch ○ keine Praktika.
2 Sie arbeitet ○ nur im Sommer ○ im Sommer und im Winter gern im Freien.
3 Sie findet: Im Team findet man ○ meistens ○ schwer eine Lösung.
4 Am Wochenende möchte Katharina ○ auf jeden Fall ○ nicht arbeiten.
5 Sie kann sich Schichtdienst ○ nur am Tag ○ auf keinen Fall vorstellen.

4 Beim Jobcoaching

a Was passt zusammen? Verbinden Sie.

Was haben Sie denn studiert?

Und wie sieht es mit Schichtdienst aus?

Ja, ich liebe die Sonne, den Wind. Auch Regen ist kein Problem.

Sie arbeiten gern draußen. Ist das richtig?

Nachtschicht geht gar nicht. Das möchte ich nicht.

Umwelt- und Betriebswirtschaft auf Bachelor.

Was hat Ihnen besonders gut gefallen (im Studium)?

Am liebsten möchte ich von Montag bis Freitag arbeiten.

Sie arbeiten gern im Team. Was sind die Vorteile für Sie?

Die Kombination aus Theorie und Praxis war besonders interessant.

Zusammen weiß man mehr. So findet man sehr oft eine Lösung.

Aber am Wochenende möchten Sie nicht arbeiten ...?

b Arbeiten Sie zu zweit. Lesen Sie noch einmal
die Fragen auf den grünen Puzzle-Steinen in **a**.
Was ist für einen Jobcoach noch interessant?
Überlegen Sie weitere Fragen.

- Arbeiten Sie gern mit Zahlen?
- Helfen Sie gern Menschen?
- ...

c Beantworten Sie fünf Fragen aus **a** und **b** für sich in Stichpunkten.

5 Rollenspiel: Spielen Sie zu zweit ein Beratungsgespräch bei einem Jobcoach.

Jobcoach
Wählen Sie 5 Fragen. Denken
Sie auch an eine Begrüßung.

Bewerber/in
Beantworten Sie die
Fragen von dem Jobcoach.
Hilfe finden Sie in **4**.

1 Vorbereitung — HÖREN

a Lesen Sie zuerst die Sätze. Welche Informationen sind wichtig?
Markieren Sie wie im Beispiel.

1 Frau Nilsson findet: Ihre Kindheit war toll.　　　　| Ja | Nein |
2 Sie hat im Sommer viel draußen gespielt.　　　　　| Ja | Nein |

1 🔊 33 **b** Hören Sie das Gespräch. Ist das Markierte in **a** richtig? Wählen Sie | Ja | oder | Nein |.

c Hören Sie noch einmal. Sind Ihre Antworten richtig?

1 🔊 34 ## 2 In der Prüfung

Sie hören ein Interview. Sie hören es zweimal. Wählen Sie
für die Aufgaben 1 bis 5 | Ja | oder | Nein |.

Beispiel

0 Leon hat ein Restaurant.　　　　　　　　　| Ja | ~~Nein~~ |

1 Leon ist gern in die Schule gegangen.　　　| Ja | Nein |
2 Leon hat nach der Schulzeit eine
　Ausbildung gemacht.　　　　　　　　　　| Ja | Nein |
3 Bei seiner Stelle im Systemhaus hatte
　er flexible Arbeitszeiten.　　　　　　　　| Ja | Nein |
4 In seiner eigenen Firma arbeitet er
　auch am Wochenende.　　　　　　　　　　| Ja | Nein |
5 Leon ist zufrieden mit der Arbeit
　in seiner Firma.　　　　　　　　　　　　| Ja | Nein |

> ❗ Zuerst hören Sie ein Beispiel. Vor dem Hören haben Sie 25 Sekunden Zeit. Was ist wichtig? Lesen Sie die Aufgaben und markieren Sie.

> ❗ Achten Sie auf ähnliche Wörter, z. B. *PC = Computer*; *wunderschön = toll.*

> ❗ Achten Sie auf Gegensatzpaare, z. B. *fest – flexibel; toll – schlimm; drinnen – draußen.*

1 Vorbereitung — SCHREIBEN

a Sie möchten einen Sprachkurs in Deutschland machen. Was passt? Ordnen Sie zu.

Anrede　Adresse　Familienstand　Handy　Herkunft　~~Kursart~~　Kursbeginn　Postleitzahl

---

www.momente-mit-sprachen.de/anmeldung　　　　✕

1 _____ :
　○ Frau ○ Herr
2 Name:
3 Vorname:
4 E-Mail:
5 _____
　(Straße / Hausnummer):
6 _____ (PLZ),
　Ort:
Telefon
7 Festnetz 📞 :
8 📱 :
9 Geburtsdatum:

10 Geburtsort:
11 _____ / Nationalität:
12 Muttersprache:
13 Fremdsprachen:
14 _____ :
　○ verheiratet ○ ledig
15 Kursart :
　○ Aussprache ○ Grammatik ○ Schreiben
16 Kursdauer:
　○ 1 Monat ○ 2 Monate ○ 3 Monate
17 _____ :
　○ Januar ○ April ○ Juli ○ Oktober
18 Übernachtung:
　○ Gastfamilie ○ WG ○ Hotel

b Lesen Sie die E-Mail. Vergleichen Sie die markierten Informationen mit dem Formular in **a**. Welche Nummern passen? Ergänzen Sie.

Sehr geehrte Damen und Herren,

ich bin Kasia Grabowski ② und möchte gern einen Deutsch-Grammatikkurs ◯ machen. Am liebsten zwölf Wochen ◯ im Frühling. Gibt es noch Plätze? Haben Sie auch Zimmer? Ich würde gern in einer Gastfamilie oder WG ◯ wohnen, aber auf keinen Fall in einem Hotel.

Zu mir: Ich bin am 23. Februar 1995 ◯ in Polen ◯ geboren. Ich spreche Polnisch, Russisch und ein bisschen Französisch ◯.

Herzliche Grüße

Kasia Grabowski

Aleja 31, 00-901 Warschau ◯ • kasgrabow@interia.pl ◯ • Mobil +48 600 505050 ◯

---

2 In der Prüfung

Lesen Sie. Schreiben Sie dann die fehlenden Informationen in das Formular.

BUNDESREPUBLIK DEUTSCHLAND
PERSONALAUSWEIS

FISCHER
KONSTANTIN
BUENOS AIRES
10.10.1990
DEUTSCH
25.06.2030

Konstantin wohnt in Rosenheim, in der Herzog-Otto-Straße 12. Er ist ledig, seine Muttersprachen sind Spanisch und Deutsch. Er studiert Medizin. In einem Jahr möchte er zwei Semester in Rom studieren. Jetzt will er einen Sprachkurs machen, weil er kein Italienisch spricht.

---

www.sprachenschule-rosenheim.de/italienisch/anmeldung

Vorname: **Konstantin**

Nachname:

Geschlecht: männlich ♂   weiblich ♀

Geburtsdatum: Geburtsort:

Adresse: , 83022 Rosenheim

Herkunft: **Deutschland, Argentinien**

Familienstand: Beruf:

Welche Sprache möchten Sie lernen?

❗ Kontrollieren Sie: Haben Sie alle Felder ausgefüllt?

1 Vorbereitung

LESEN

a Lesen Sie die Nachricht schnell. Lesen Sie dann die Fragen 1–3 und kreuzen Sie an.

Hallo Halyna, wie geht es dir? Stell dir vor, ich komme bald nach München. Ich habe dort einen Job gefunden und fange Ende März an. 😃 Nun suche ich eine Wohnung, am liebsten ab dem 15. März. Aber das ist echt schwer in München. 😕 Ich habe Lisa auch schon gefragt. Hast du vielleicht eine Idee? Ich hoffe, wir sehen uns bald wieder.
Bea

1 Wer schreibt die Nachricht?
   ☒ Bea ◯ Halyna ◯ Lisa
2 Wer liest die Nachricht?
   ◯ Bea ◯ Halyna ◯ Lisa
3 Was ist das Thema?
   ◯ Familie ◯ Gesundheit ◯ Wohnen

b Lesen Sie die Aufgaben 4–5 und markieren Sie wichtige Wörter. Markieren Sie dann die Stelle(n) in der Nachricht in **a**.

4 Bea …
  a sucht eine Wohnung in München.
  b und Halyna wohnen zusammen.
  c wohnt in München.

5 Ende März …
  a fährt Bea nach München.
  b fängt Bea ihren Job an.
  c möchte Bea umziehen.

c Lesen Sie die Aufgaben in **b** noch einmal und vergleichen Sie. Kreuzen Sie dann an: a, b oder c.

2 In der Prüfung

Sie lesen eine E-Mail. Wählen Sie für die Aufgaben 1–5 die richtige Lösung a, b oder c.

Liebe Emma,

wie geht es dir? Ich habe lange nichts von dir gehört.

Inzwischen habe ich meinen Bachelor in Hamburg gemacht und bin vor vier Monaten in die Schweiz gezogen. Ich will jetzt hier in Zürich meinen Master-Abschluss machen, denn mein Traumberuf ist immer noch Architektin. Die Mieten hier sind unglaublich hoch, ein eigenes Apartment viel zu teuer. Zuerst hatte ich kein Zimmer und musste zwei Wochen in einem Hotel wohnen. Aber zum Glück habe ich dann eine WG gefunden. Nun wohne ich zusammen mit Helena und Martha. Helena kommt aus Griechenland, Martha aus den USA. Meistens sprechen wir Englisch und manchmal ein bisschen Schweizerdeutsch. „Hoi, wia goht's? Guat danka, und diar?" Das heißt: „Hallo, wie geht es dir? Danke, gut, und dir?" 😊 😊 Unsere Wohnung ist sehr klein, aber unsere Küche ist toll. Wir kochen viel gemeinsam und essen meistens zusammen. Es ist immer sehr lustig und es schmeckt viel besser als in der Uni-Mensa. Dort ist das Essen wirklich furchtbar. Ich bin hier viel draußen. Mir gefallen Zürich und die Umgebung. In der Stadt ist der See. Dort treffen wir uns abends oft am Ufer. Es gibt viele Bars. Die sind echt cool! Und man kann auch baden. Mit dem Zug bin ich in einer Stunde in den Bergen. An der Uni habe ich Malte kennengelernt. Er kommt aus Dänemark und studiert auch Architektur. Wir verstehen uns super. 😍 Nächste Woche wollen wir zusammen auf ein Hip-Hop-Konzert gehen.

Du siehst, es geht mir sehr gut hier. Es ist immer etwas los. Außerdem arbeite ich drei Tage pro Woche als Verkäuferin. Das finde ich echt anstrengend. Ich kann nur wenige Pausen machen, weil immer viele Kunden im Laden sind. So stehe ich fast den ganzen Tag. Aber die Kunden sind freundlich, die Arbeit macht Spaß und ich verdiene gut.

Möchtest du mich mal besuchen? Dann zeige ich dir die Stadt und du lernst auch Malte kennen. Du kannst auch bei mir übernachten. Ich würde dich so gern wiedersehen.

Schreib mir bald!

Liebe Grüße, Flora

1 Flora …
  a hat einen Master-Abschluss gemacht.
  b möchte Architektin werden.
  c studiert in Hamburg.

2 In Zürich lebt sie in …
  a einem Apartment.
  b einem Hotel.
  c einer Wohngemeinschaft.

3 In der Wohnung …
  a findet Flora die Küche furchtbar.
  b kochen alle zusammen.
  c kocht Flora immer für die anderen.

4 Nächste Woche …
  a besucht sie mit Malte ein Konzert.
  b fährt Flora in die Berge.
  c trifft sie Freunde in einer Bar.

5 Bei ihrer Arbeit als Verkäuferin …
  a kann sie selten sitzen.
  b sind die Kunden anstrengend.
  c verdient Flora wenig.

> ❗ Die Wörter in den Aufgaben stehen auch im Text. Wo stehen sie? Lesen Sie genau: Was ist „anstrengend"? Die Kunden oder die Arbeit, weil Flora nur selten Pause machen kann?

1 Vorbereitung

1 ◀)) a Einen Ausflug planen: Ordnen Sie das Gespräch. Hören Sie dann und kontrollieren Sie.
35

1 ○ Wollen wir etwas in der Stadt machen oder lieber in die Natur fahren?

◇ ▫ Man kann im See baden oder am Ufer spazieren gehen, Ball spielen oder ein Picknick machen.

3 ○ Gute Idee! Wohin wollen wir denn fahren?

◇ ▫ Ich schlage vor, wir machen den Ausflug gleich nächstes Wochenende. Hast du am Samstag Zeit?

5 ○ Nein, den kenne ich noch nicht. Was kann man dort machen?

◇ ▫ Kennst du schon den Starnberger See? Den kann ich nur empfehlen.

7 ○ Sehr schön. Machen wir doch einen Picknick-Ausflug zum Starnberger See! Wann wollen wir fahren?

② ▫ Machen wir doch etwas in der Natur. Dort ist die Luft sauber.

9 ○ Nein, am Samstag kann ich leider nicht.

◇ ▫ Warum fahren wir nicht mit dem Zug? Das macht Spaß und ist auch besser für die Umwelt.

11 ○ Ja, sehr gern. Übrigens: Wie wollen wir eigentlich hinfahren? Wollen wir ein Auto mieten?

◇ ▫ Ich kann gern noch ein paar Flaschen Saft und Wasser kaufen.

13 ○ Okay. Fürs Picknick bringe ich Brot, Käse und Salat mit. Brauchen wir noch etwas?

◇ ▫ Schade ... Wollen wir dann am Sonntag fahren?

1 ◀)) b Hören Sie und reagieren Sie mit den Antworten ▫ in **a**.
36

c Sehen Sie die Bilder A – E an und lesen Sie die Fragen. Was können Sie antworten? Machen Sie Notizen.

Pergamon-Museum

Wohin fahren? Was machen? Wann fahren? Wie fahren? Was mitnehmen?

A nach Berlin ...

1 ◀)) d Hören Sie die Fragen und antworten Sie mit Ihren Notizen aus **c**.
37

> Fahren wir doch in eine Stadt! Nach Berlin!

2 In der Prüfung

Sie möchten mit einer Teilnehmerin / einem Teilnehmer aus Ihrem Deutschkurs einen Ausflug machen. Notieren Sie Fragen. Besprechen Sie sie dann zusammen.

> **!**
> Bereiten Sie sich auf das Gespräch vor. Sie haben 10 Minuten Zeit.
> Besprechen = Fragen stellen, Antworten geben und eine gemeinsame Lösung finden

Wohin?	in die Natur?	in eine Stadt?	an einen See?
Wann?	Wochentag?	Monat?	Uhrzeit?
Wie reisen?	Bahn?	Bus?	Fahrrad?
Was mitnehmen?	Essen und Getränke?	Musik?	noch etwas?

Deshalb haben wir jetzt sehr viel Arbeit.

1 Internationale Wörter Ⓦ KB 1

a Finden Sie noch sieben Nomen. Welche passen in die Tabelle? Ergänzen Sie und vergleichen Sie.

homeoffice|student|mikrofonreferatwerbespot
seminarpräsentationdozentmeeting

Deutsch	Englisch	Andere Sprachen
1 die	presentation	
2 der	commercial	
3 das	meeting	
4 das Homeoffice	working from home	
5 das	microphone	

b Was sagt man an der Universität? Ordnen Sie die anderen Nomen aus **a** mit Artikel zu.

1 der Schüler: _der Student_   3 der Unterricht / Kurs: _____
2 der Lehrer: _____   4 die Präsentation: _____

2 Lesen Sie den Blog und ordnen Sie zu. Ⓦ KB 1

Dozent   geht … auf   gestresst   Homeoffice   Meetings   ~~Mikrofon~~   nehme … teil

Präsentation   Referat   schaltet … aus   Seminare   Werbespot

---

●●●   www.mikes-blog.de   ✕

MEINE ARBEIT

<u>MikeF</u> Jeden Mittwoch arbeite ich von zu Hause aus, also im _____ (1). Wir
haben dann Online-_____ (2). Diese Treffen sind oft sehr lustig. Ich zum Beispiel
_____ vom Esstisch aus _____ (3). Hinter mir _____ dann
auf einem Bild die Sonne _____ (4). 😎 Und ein Kollege hat immer Probleme mit seinem
Mikrofon (5). Er _____ es nie _____ (6). Manchmal hört man seine Frau von
hinten: „Rudi, du hast den Müll nicht rausgebracht!" 😄 Die vielleicht schlimmste Panne ist vor einigen
Wochen passiert. Ich hatte eine Online-_____ (7) über ein Produkt zusammen
mit meinem Chef und einem Kunden. Ich war sehr nervös und ziemlich _____ (8).
Plötzlich war ein _____ (9) für Schokolade aus dem Internet auf meinem
Bildschirm. Puh, das war richtig blöd. 😖

Kommentare

<u>Suse</u> Online-Pannen kenne ich auch. Ich bin Studentin und besuche auch Online-
_____ (10). Einmal hat ein Student ein _____ (11) über Wirtschaft
und Medien gehalten. Das war total langweilig. Also habe ich einer Freundin eine Chat-Nachricht
geschrieben: „Wie war dein Treffen mit Johannes?" Das Problem: Die Nachricht ist an alle gegangen!
Alle haben gelacht, aber meine Freundin war sauer. 😟
Und unser _____ (12) hat das natürlich auch nicht lustig gefunden.

3 **Was machen Sie samstags?** G W KB 2

a Fridolines Samstag. Lesen Sie die Regel und ergänzen Sie
die Tageszeiten im Blogeintrag.

www.Fridolines-Blog.de ✕

Samstags bin ich nie gestresst, denn ich muss ja nicht
arbeiten! 😌
M orgens (1) habe ich viel Zeit, also frühstücke ich lang.
Weil ich keine Eile habe, kaufe ich v_____ (2)
in Ruhe ein. M_____ (3), so gegen 12 Uhr,
koche ich gemütlich. Kochen ist mein Hobby!
Nach dem Essen mache ich einen Mittagsschlaf und
n_____ (4) fahre ich dann oft ein paar Stunden
Fahrrad. A_____ (5) esse ich meistens nur
einen Salat. Und dann schaue ich meine Lieblingsserie.
Weil ich danach selten schlafen kann, lese ich
n_____ (6) im Bett oft noch ein Buch.

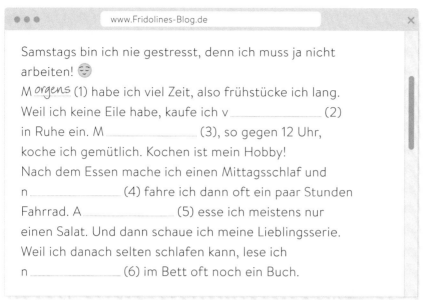

> ❗
> **immer** am Samstag
> = samstags
> **immer** am Nachmittag
> = nachmittags
> ⚠ Satzanfang:
> Samstags, Nachmittags
> …

b Und Sie? Was machen Sie samstags oder an einem anderen Wochentag? Schreiben Sie wie in **a**.

> _Freitags beginnt mein Tag langsam, denn ich arbeite im Homeoffice._
> _Morgens trinke ich aber nur eine Tasse Kaffee, weil … Dann …_

4 **In der Firma** W K KB 4 ────────────────── SPRECHEN

1 ◀) 38 **a** Was muss man noch tun? Hören Sie und verbinden Sie.

1 eine Geschäftsreise   **a** vorbereiten   5 eine Besprechung   **e** verschicken
2 eine Präsentation   **b** kontaktieren   6 einen Termin   **f** unterschreiben
3 eine Rechnung   **c** organisieren   7 Einladungen   **g** ausmachen
4 einen Kunden   **d** bezahlen   8 einen Vertrag   **h** absagen

b Sie haben für vier Aufgaben
aus **a** keine Zeit. Schicken Sie
Ihrem Team-Kollegen
Tobi eine Sprachnachricht.

> ▶ ───────●────────
> [Hallo Tobi! Tina hat angerufen. Leider habe
> ich keine Zeit. Kannst du bitte …]

5 **Der Nasal *ng*** KB 4 ────────────────── AUSSPRACHE

1 ◀) 39 **a** Wo hören Sie *ng* als <u>einen</u> Laut?
Hören Sie und (umkreisen) Sie.

anfa(ng)en – an|gekommen – an|gerufen – bringen
Meeti(ng) – Blumen|geschäft – Rechnung – Besprechung

> ❗
> *ng* → <u>ein</u> Laut, z. B. anfangen
> *ng* → <u>zwei</u> Laute, z. B. an|gekommen
> oder Blumen|geschäft

1 ◀) 40 **b** Markieren Sie *ng*. Hören Sie dann
und sprechen Sie nach.

1 Ich bin in einer Besprechung.
2 Dauert das Meeting lang?
3 Wann fangen wir an?
4 Wem soll ich die Rechnung schicken?

6 Die Verbindungswörter *weil* und *deshalb* Ⓖ 🔍 KB 5

a Ergänzen Sie die fehlenden Wörter. Markieren Sie dann *weil* und *deshalb* und die Verben.

Ich bin zufrieden.

Ich verdiene gut.

		Position 2	Ende
Hauptsatz	**Nebensatz**		
1 Ich bin zufrieden,	weil	gut	verdiene.
Hauptsatz 1	**Hauptsatz 2**		
2 Ich verdiene gut,	deshalb	bin	zufrieden.

b Lesen Sie die Regeln. Was ist richtig? Kreuzen Sie an.

❗

Weil-Sätze sind ○ Hauptsätze ☒ Nebensätze . Das konjugierte Verb steht
○ auf Position 2 ○ am Ende .
Deshalb verbindet ○ zwei Hauptsätze ○ einen Hauptsatz mit einem Nebensatz .
Das Verb im *Deshalb*-Satz steht ○ auf Position 2 ○ am Ende .

7 Was passt? Kreuzen Sie an. Ⓖ KB 5

OFFENE RECHNUNGEN   WIRTSCHAFT

Kunden bezahlen Rechnungen meistens pünktlich, ○ deshalb ☒ weil (1) sie das wichtig
finden. 14 Prozent aber nicht. Warum eigentlich? Manche haben einfach zu wenig Geld,
○ deshalb ○ weil (2) bezahlen sie ihre Rechnungen nicht. Viele vergessen das Bezahlen,
○ deshalb ○ weil (3) müssen Firmen länger auf ihr Geld warten. Andere Kunden
bezahlen nicht, ○ deshalb ○ weil (4) sie mit einem Produkt nicht zufrieden
sind. Aber auch Firmen machen Fehler. Die Rechnung kommt z. B. nie beim Kunden an,
○ deshalb ○ weil (5) die Adresse auf der Rechnung falsch ist.

8 Forum: Deutschlernen Ⓖ KB 6 ─────────────────── SCHREIBEN

a Ergänzen Sie *weil* oder *deshalb*.

⬤⬤⬤   www.forum-deutsch-lernen.de   ✕

<u>Mii</u> Ich lerne Deutsch, _weil_ (1) ich in Köln arbeiten möchte. Meine Kurskollegen sind echt cool,
_____ (2) gefällt mir mein Kurs sehr gut. Ich mag auch unseren Lehrer, _____ (3)
er sehr nett ist und toll erklären kann. Meine Hausaufgaben mache ich immer, _____ (4)
ich sie wichtig finde. Ich liebe Online-Übungen, _____ (5) mache ich meine
Hausaufgaben am liebsten am Handy. Wie ist es bei euch? Warum lernt ihr Deutsch? Wie findet ihr
euren Deutschkurs? Was gefällt euch (nicht)? Warum? Findet ihr Hausaufgaben wichtig?

<u>Ich</u> *Ich mache seit*   *einen Deutschkurs.*

b Schreiben Sie eine Antwort.

9 Partneraufgabe: *Weil* und *deshalb* Ⓖ KB 6

Schicken Sie Ihrer Partnerin / Ihrem Partner eine Textnachricht.
Sie / Er bildet Sätze mit *weil* und *deshalb*.

Ich gehe in die Bäckerei. Grund: Ich brauche Brot.	Ich gehe in die Bäckerei, weil …	Ich brauche Brot, deshalb …	➕ NOCH MEHR? Seite 96–97

10 Arbeitsaufträge Ⓚ KB 8

a Schreiben Sie Sätze.

1 o *Können Sie bitte* (bitte | Sie | können) die Einladungen unterschreiben?

2 o Wir müssen dringend die Rechnungen verschicken. _____
_____ (Sie | das | können | übernehmen | bitte)?

3 o Die Präsentation muss morgen fertig sein. _____ (das | Sie | schaffen)?

4 o _____ (noch | ach ja, | etwas | und):
_____ (brauchen | wir | dringend) die Geschäftszahlen,
_____ (bis | am | besten) morgen. Können Sie das bitte übernehmen?

b Positiv oder negativ? Zeichnen Sie ☺ oder ☹.

☐ Ich erledige das. ☺	☐ Das geht leider nicht. Ich muss … ☹
☐ Kein Problem. ☺	☐ Das schaffe ich nicht. Ich muss auch noch dringend … ☹
☐ Ja, natürlich. Wir schaffen das schon irgendwie. ☺	☐ Das geht auf keinen Fall. ☹
☐ Ich muss … Deshalb schaffe ich das leider nicht. ☹	☐ Klar, das mache ich. ☺

c Schreiben Sie Antworten auf die Arbeitsaufträge in a. Die Ausdrücke in b helfen Ihnen.

1 ☺ Kein Problem.
☹ Das geht leider nicht. Ich muss jetzt gleich dringend in ein Meeting.

11 Wir organisieren eine Konferenz. Ⓦ Ⓚ KB 9 — SPRECHEN

a Was passt nicht? Streichen Sie durch.

1 informieren die Teilnehmer | die Kollegen | ~~einen Vertrag~~ | das Team
2 buchen eine Reise | einen Flug | einen Arbeitsauftrag | ein Hotelzimmer
3 einladen ins Theater | zu einem Online-Meeting | zum Essen | in die Küche
4 reservieren einen Teilnehmer | einen Tisch im Restaurant | ein Zimmer | Theaterkarten

b Partneraufgabe: Wählen Sie zwei Aktivitäten und schicken Sie Ihrer Partnerin / Ihrem Partner eine Sprachnachricht mit einem Arbeitsauftrag. Sie / Er reagiert.

- Teilnehmer informieren
- Einladung verschicken
- Konferenzraum reservieren
- Tisch für Mittagessen im Restaurant reservieren (20 Teilnehmer)
- Hotelzimmer für Teilnehmer buchen
- Präsentation vorbereiten

▶ ———————○———
[Hallo Luca, wir müssen noch die Teilnehmer informieren. Kannst du das übernehmen? Ach ja, und noch etwas …]

▶ ———————○———
[Kein Problem, ich kann die Teilnehmer informieren, aber … Das schaffe ich nicht. Ich muss …]

Ach, komm schon! Das macht bestimmt Spaß!

1 Was passt? Lesen Sie und ordnen Sie zu. ⓦ KB 1

◯ WAP – Jubiläumstour   ◯
④ Olympiastadion
◯ Sa, 27. August, 19:30 Uhr
◯ 48,– Euro

1 das Konzert

2 der Preis

3 das Datum

4 das Stadion

5 das Ticket

2 Überraschungsevents ⓦ KB 2

a Was passt zusammen? Ordnen Sie zu.

1 das Ballett   2 das Basketballspiel   3 das Kabarett
4 das Krimidinner   5 die Lesung   6 das Musical   7 die Oper
8 das Theaterstück   9 die Zaubershow

b Sie bekommen Überraschungstickets. Wie reagieren Sie? Ergänzen Sie
enttäuscht und *begeistert*. Notieren Sie dann ein paar Veranstaltungen aus **a**.

1 😃 Ich bin _____ : *das Theaterstück,*
2 😣 Ich bin _____ : _____

3 Internationale Wörter ⓦ KB 2

Finden Sie noch vier Wörter. Ergänzen Sie mit Artikel und vergleichen Sie.

überraschung|stareishockeyautogrammstory

Deutsch	Englisch	Andere Sprachen
1 *die Überraschung*	surprise	
2	ice hockey	
3	autograph	
4	story	
5	star	

4 Kulturevents: Top 👍 oder Flop 👎? Ⓚ KB 2 ────── SCHREIBEN

a Lesen Sie die Kommentare und markieren Sie: positiv und negativ.

• • • www.kulturlotse.ch/events/top-oder-flop ✕

AUFREGEND: „WEST SIDE STORY" AUF TOUR

<u>Mimi</u> Langweilig? Auf keinen Fall! Der Abend war so aufregend! Ich war begeistert! Die Story ist heute noch wichtig und die Musik macht immer wieder Spaß. Doch manchmal war sie etwas zu laut. Schade! Besonders Lea Field war als „Maria" fantastisch. Neugierig? Das Musical ist noch drei Wochen zu Gast in Bern. Ich habe mir gleich eine Dauerkarte gekauft.

<u>AKri</u> Klingt super! Ich habe gerade zwei Tickets bestellt. Ich möchte sie meiner Frau schenken.

<u>Nana</u> Ja, der Abend war toll! Aber von Timo Pauls als „Riff" war ich etwas enttäuscht.

---

b Von welcher Veranstaltung waren Sie begeistert / enttäuscht?
Schreiben Sie eine Bewertung wie in a.

Das Fusion Festival war einfach super. Das Wochenende war so ...

---

5 Wie lange ...? Ⓖ 🔍 KB 3

a Verbinden Sie.

1 Wie lange dauert die Zaubershow?   a Seit fast einem Jahr.
2 Wann findet das Filmfest statt?   b Über zwei Stunden.
3 Seit wann ist das Theater geschlossen?   c Vom 21. Mai bis zum 6. Juni.

b Markieren Sie in a die Fragewörter und die Präpositionen. Ergänzen Sie dann die Tabelle.

Bedeutung	Fragewort	Präposition	
X———→X	Wie lange (schon) ... / ....?	Seit 2010. / .... fast einem Jahr.	+ Dativ
X———X	..........?	Von 8 Uhr bis 12 Uhr. / .... 21. Mai .... 6. Juni.	+ Dativ
(———)	*Wie lange* ...?	.... zwei Stunden.	+ Akkusativ

6 Was passt? Kreuzen Sie an. Ⓖ KB 3

○ Puh, der Theaterworkshop ist anstrengend! Ich hatte ja keine Ahnung. Aber es macht echt Spaß!

▫ Ja, das finde ich auch! ☒ Wie lange ○ Wann (1) spielst du schon Theater?

○ ○ Über ○ Seit (2) einem Jahr. Und ○ wann ○ seit wann (3) spielst du?

▫ Ich bin ○ bis ○ seit (4) acht Jahren in einer Theatergruppe.

○ Dann hast du bestimmt einen Tipp für mich. Ich habe im Sommer ○ über ○ seit (5) fünf Wochen frei und würde gern noch einen Workshop machen.

▫ Ich finde den Workshop in Wien super. Der ist immer Anfang August, dieses Jahr ○ vom ○ von (6) zweiten ○ bis ○ bis zum (7) zehnten, glaube ich.

7 **Lesen Sie das Interview und ordnen Sie zu.** Ⓖ KB 3

am am bis in ~~seit~~ seit über vor zum zum

⬤⬤⬤   www.einblicke-das-kulturmagazin.de/interview   ✕

KULTURMAGAZIN: Valentin, Sie sind schon _seit_ (1) gut drei Monaten auf Tournee. Wie geht's Ihnen?

VALENTIN: Sehr gut. Ich liebe meine Arbeit als Clown. _____ (2) zehn Jahren bringe ich Menschen zum Lachen. Das macht Spaß!

KULTURMAGAZIN: Aber ist es nicht auch sehr anstrengend? Ihre Show dauert _____ (3) 90 Minuten!

VALENTIN: Das macht mir nichts aus. Ich habe ja _____ (4) Vormittag frei.

KULTURMAGAZIN: Sie sind ein Weltstar. Sind Sie _____ (5) der Show noch nervös?

VALENTIN: Ja, sehr! Zurzeit höre ich _____ (6) kurz vor der Show immer Musik. Das hilft ein wenig.

KULTURMAGAZIN: _____ (7) zwei Tagen müssen Sie schon wieder weiter.

VALENTIN: Ja, wir sind noch bis _____ (8) 23. November unterwegs. Und danach, _____ (9) 24. November, geht's nach Hause.

KULTURMAGAZIN: Dann wünschen wir Ihnen bis _____ (10) Tournee-Ende noch viel Erfolg!

---

8 **Lesen Sie und ergänzen Sie die richtige Endung.** Ⓖ KB 3

⬤⬤⬤   www.stadttheater-eberfelde.de   ✕

ENDLICH WIEDER THEATER!

Seit drei Jahr _en_ (1) bauen wir für Sie um. Nun ist das Stadttheater fast fertig. In ein_____ (2) Monat öffnen wir wieder unsere Türen für Sie. Vom erst_____ (3) Oktober bis zum siebt_____ (4) Juni können Sie Theaterstücke, Kabaretts und mehr besuchen. Am 1.10. startet die Spielzeit um 19:30 Uhr mit „Nora" von Ibsen. Vor d_____ (5) Premiere zeigt Ihnen der Architekt das Theater. Der Spaziergang beginnt um 18 Uhr und dauert über ein_____ (6) Stunde. Nach d_____ (7) Stück laden wir Sie zur Premierenfeier ein. Der Kartenvorverkauf beginnt in ein_____ (8) Woche. Wir freuen uns auf Sie!

➕ **NOCH MEHR?**
Seite 97–98

9 **Im Freunde-Chat** Ⓚ KB 5

a Wie sagen Sie es höflich? Ergänzen Sie: √ (= zustimmen) oder ✗ (= ablehnen).

Wollen wir heute Abend zu einem Basketballspiel gehen? Was haltet ihr davon?

1 ⊗ Ich möchte schon, aber ich muss arbeiten.

2 ⬡ Ja gern, das ist eine sehr gute Idee.

4 ⬡ Das geht leider nicht. Schade! Ich gehe mit meinen Eltern in ein Ballett.

5 ⬡ Sehr nett, aber da kann ich leider nicht. Ich gehe in ein Konzert.

3 ⬡ Tut mir leid, das finde ich nicht so interessant.

6 ⬡ Okay, einverstanden. Ich komme mit.

b Eine Freundin lädt Sie im Chat zu der Veranstaltung in 8 ein. Sagen Sie höflich ab.

10 Komm doch bitte mit! 🄺 KB 6 ———

1 ◄)) **a** Sortieren Sie das Gespräch. Hören Sie dann und überprüfen Sie.
41

⬡ Spaß? Hm, meinst du? Vielleicht. Ich bin eigentlich müde. Ich habe zu viel Stress!

⬡ Langweilig? Ach, komm schon. Das ist mal was anderes. Die Autorin ist fantastisch und du liebst doch Klaviermusik. Das macht bestimmt Spaß.

⟨1⟩ Jana, ich habe zwei Tickets für eine Lesung mit Klaviermusik geschenkt bekommen. Kommst du mit?

⬡ Okay, einverstanden. Ich komme mit.

⬡ Na los, das wird sicher aufregend. Und hilft bestimmt gegen Stress.

⬡ Also, ich weiß nicht. Lesungen finde ich eher langweilig.

b Sie reagieren zögernd oder möchten jemanden überreden / überzeugen: Was können Sie sagen? Suchen Sie passende Sätze in **a** und machen Sie zwei Wortigel.

zögernd reagieren — Hm, meinst du? Vielleicht.

c Partneraufgabe: Wählen Sie ein Thema. Schicken Sie Ihrer Partnerin / Ihrem Partner eine Sprachnachricht und überzeugen Sie sie / ihn. Reagieren Sie dann auf den Vorschlag Ihrer Partnerin / Ihres Partners.

Ach, komm schon. Das ist mal … — überreden / überzeugen

Oper   Volleyballspiel   Reggae-Festival   Lesung: Gedichte

➕ **NOCH MEHR?**
Seite 98

11 Die Konsonanten *f*, *v* und *w* KB 6 ———

1 ◄)) **a** Hören Sie und ergänzen Sie *f* oder *w*.
42

1 Film – Feier – Fest – fantastisch   f   ⟨f⟩
2 Vorschlag – einverstanden – Veranstaltung   v   ⬡
3 Event – Festival – Klavier – Karneval   v   ⬡
4 Werbung – Bewertung – wählen   w   ⬡

❗ In deutschen Wörtern meistens:
✍ v → 👂 f

In Wörtern aus anderen Sprachen (z. B. Latein, Französisch, Englisch, …):
✍ v → 👂 w

1 ◄)) **b** Hören Sie und sprechen Sie dann.
43

1

Viennale
ein Festival in Wien
mit vielen Filmen.
Was hältst du davon?
Einverstanden, da freue
ich mich.

2

Piano Viva
Klavierferien für Hobbymusiker
mit vielen Kursen.
Das wird sicher aufregend.
Okay, okay, das machen wir.

06 Du solltest mehr trainieren.

1 Fridolin macht Sport mit einem Fitness-Programm. Ⓦ KB 1

Was sagt er? Ordnen Sie zu.

| Au ja! | Jetzt schon? | Na gut! | Muss das sein? | ~~Okay. Ich bin bereit!~~ | Wie schön! |

2 Was sollte / könnte Fridolin noch machen? Ⓚ KB 2

1 ◀)) 44 **a** Hören Sie und ergänzen Sie die fehlenden Wörter. Schreiben Sie dann passende Antworten aus 1.

1 ○ Du _solltest_ (1) mehr Sport machen.
  ◻ ☺ *Au ja!*

2 ○ Du _____ (2) auf jeden Fall die Trainingseinheiten verdoppeln.
  ◻ ☹ _____

3 ○ Du _____ (3) öfter zu Fuß gehen.
  ◻ ☹ _____

4 ○ Du _____ (4) unbedingt mehr trainieren. Fangen wir gleich an!
  ◻ ☺ _____

b Schreiben Sie noch mehr Ratschläge / Vorschläge für Fridolin.

| viel Wasser trinken | am Abend weniger essen | mehr schlafen |
| mehr Obst und Gemüse essen | weniger faulenzen | … |

Du könntest auf jeden Fall …
Du solltest unbedingt
…

3 Was passt? Kreuzen Sie an. Ⓖ KB 2

a ○ Du siehst total müde aus. Du ○ sollte ☒ solltest (1) abends früher ins Bett gehen.
  ◻ Ich habe schlecht geschlafen. Ich glaube, ich ☒ sollte ○ sollten (2) nicht so viel Kaffee trinken. Ich ☒ könnte ○ könntest (3) nachmittags Tee trinken.
  ○ Du ☒ könntest ○ könnten (4) auch einen Mittagsschlaf machen.

b ○ Unsere Tochter sitzt den ganzen Tag vor dem Computer, isst Süßigkeiten und trinkt Cola.
  ◻ Sie ☒ sollte ○ sollten (5) Wasser trinken. Sie ☒ könnte ○ könntest (6) Obst essen, das ist auch süß.
  ○ Ich glaube, wir ○ solltest ☒ sollten (7) einfach keine Süßigkeiten mehr kaufen. Oder wir ○ könnte ☒ könnten (8) ihr sagen: „Ab sofort keine Computerspiele mehr!"

4 Schreiben Sie Sätze. Ergänzen Sie dann Ihren Ratschlag/Vorschlag. **G K** KB 3

www.online-hilfe.org ✕

Lea Mein Hund (Labrador) wiegt fast 50 Kilo. Der Tierarzt sagt, er ist zu schwer. Leider hat er immer Hunger und liebt Hundeschokolade. Wer hat einen Ratschlag?

paulS *Ihr könntet häufiger spazieren gehen* (spazieren gehen | Ihr | könntet | häufiger) (1).
Du hast nicht so viel Zeit? Dann *könntest du auch deine Nachbarn fragen*
(auch | fragen | könntest | Nachbarn | du) (2). Die machen das manchmal ganz gern.

Missi

(er | Ab sofort | keine Süßigkeiten mehr | sollte | bekommen) (3).

Ruby1

(ein bisschen kleiner | ich | würde | seine Essensportionen | machen | An deiner Stelle) (4).

Ich

5 Partneraufgabe: Ratschläge und Vorschläge **K G** KB 3 ──────── SPRECHEN

Sie haben ein Problem. Schicken Sie eine Sprachnachricht. Ihre Partnerin / Ihr Partner antwortet.

▶ ──●──────────────

[Ich bin zu einer Geburtstagsparty eingeladen.
Ich kenne dort aber niemanden. Soll ich gehen?]

▶ ──●──────────────

[An deiner Stelle würde ich zur Party gehen.
Du könntest auch deinen Freund mitnehmen.
Aber du solltest zuerst fragen.]

6 Sportarten: Ergänzen Sie und vergleichen Sie. **W** KB 4

golf|rudern|standuppaddeln|walken|tauchen|aquafitness

Deutsch	Englisch	Andere Sprachen
• Golf	golf	
• ~~Nordic~~ walken	walking	
• aquafitness	water aerobics	
• rudern	rowing	
• tauchen	scuba diving	
• Standup paddeln	stand-up paddleboarding	

7 Bilden Sie noch sechs Nomen und drei Verben und ordnen Sie zu. **W** KB 4

~~Bad~~ ~~ball~~ Bas chen dern do ~~Fit~~ ga Gym Ju ket klet min
nas ~~ness~~ ning nis ru tau ten tern ti Tisch ton ~~trai~~ Yo

a machen (4x): Fitnesstraining, Yoga, ~~klettern~~, Gymnastik, Judo
b spielen (3x): Tischtennis, Basketball, Badminton
c Verben (3x): rudern, tauchen, Klettern

8 Welchen Sport machen Sie gern? Ⓦ KB 5 ──

a Lesen Sie den Blogeintrag und ordnen Sie die fehlenden Wörter zu.

~~ausgehen~~ ~~Daten~~ ~~mache~~ ~~mache~~ ~~nichts für mich~~ ~~rudere~~ ~~spiele~~ ~~spielen~~
~~Sportarten~~ ~~Sporthallen~~ ~~tauche~~ ~~Tischtennisplatte~~ ~~Verein~~ ~~Wettkämpfe~~

> www.Daniels-Blog.de ⨯
>
> Ich interessiere mich für viele _Sportarten_ (1). Besonders gern bin ich im Wasser: Zweimal pro
> Woche bin ich mit dem Boot auf dem See und _~~schwimme~~ tauche_ (2) circa eine Stunde.
> Und ich schwimme und _rudere_ (3) auch gern. Mit meiner Freundin _spiele_ (4) ich
> auch häufig Badminton oder _mache_ (5) ein bisschen Gymnastik, aber nur draußen.
> _Sporthallen_ (6) mag ich nicht. Fitness-Apps finde ich auch blöd – man weiß ja nie,
> was mit unseren _Daten_ (7) passiert. ☹ Manchmal _spielen_ (8) wir auch Tischtennis.
> Die _Tischtennisplatte_ (9) bei uns im Park ist meistens frei. Ein _~~Verein~~ Verein_ (10) mit
> Trainern und vielen Mitgliedern ist aber _nichts für mich_ (11).
> _Wettkämpfe_ (12) interessieren mich auch nicht. Ich will ja keine Preise gewinnen!
> Freitag- und samstagabends _mache_ (13) ich aber nie Sport. Da bin ich im Restaurant oder in
> einem Klub. Denn am Wochenende möchte ich lieber _ausgehen_ (14). ☺

b Und Sie? Welche Sportarten mögen Sie? Was ist nichts für Sie?
Schreiben Sie einen Blogeintrag wie in a.

9 Was passt? Lesen Sie und kreuzen Sie an. Ⓦ KB 5

> www.dertolleverlag.de ⨯
>
> ***Was uns wichtig ist***
>
> Arbeit soll bei uns ○ niemals ⊗ vor allem (1) Spaß machen. Wir sind ein Team:
> Wir arbeiten zusammen und sprechen viel ○ allein ○ miteinander (2).
> Aber wir sind verschieden und dürfen deshalb auch mal
> ○ gleiche ○ unterschiedliche (3) ○ Besprechungen ○ Meinungen (4) haben.
>
> ***Gesundheit***
>
> Unsere Arbeitszeiten sind flexibel. Unsere ○ Mitglieder ○ Mitarbeiter (5) sollen auch Zeit für
> Freunde und Familie haben. Denn Arbeit ist nicht alles im ○ Beruf ○ Leben (6). Außerdem
> können alle Mitarbeiter ○ für viel Geld ○ kostenlos (7) und ○ direkt am ○ weit weg vom (8)
> Arbeitsplatz an einem Anti-Stress-Programm teilnehmen. Die Kurse bringen Ruhe und
> ○ Entspannung ○ Stress (9) in den Arbeitsalltag.

10 Tipps gegen Stress Ⓚ KB 5 ──

1 🔊
45

a Hören Sie den Podcast und notieren Sie vier Tipps.

b Ihre Freundin hat in der Arbeit viel Stress.
Schreiben Sie ihr eine E-Mail mit den Tipps aus a.

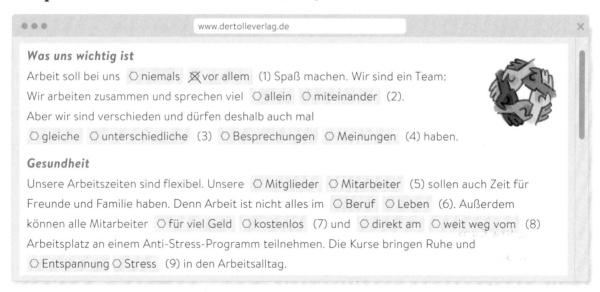

> Tipps gegen Stress
> 1. nicht zu viele Aktivitäten pro Tag
> 2. ...

> ● ● ● ⨯
>
> Liebe Leonie,
> ich habe gerade einen Podcast mit ein paar Tipps gegen Stress gehört.
> Vielleicht helfen sie dir ja. Also: Man sollte ... Außerdem ... Vor allem ... ist wichtig. ...

11 Die Konsonanten *s, sch, st* und *sp* KB 5 — AUSSPRACHE

1 🔊 46 🖲 **a** Was hören Sie? Kreuzen Sie an. Hören Sie dann noch einmal und sprechen Sie mit.

1 Sportart – Spaß – Entspannung ○ s+p ☒ sch+p
2 Studio – Unterstützung – Stadt ○ s+t ○ sch+t
3 Mittags|pause – Fitness|programm – Arbeits|platz ○ s+p ○ sch+p
4 Fitness|training – kostenlos – meistens ○ s+t ○ sch+t

❗ Wort- und Silbenanfang:
👂 *schp* oder *scht*
✎ *sp* und *st*

1 🔊 47 **b** Ergänzen Sie *s, sch, sp* oder *st*. Hören Sie dann und lesen Sie laut mit.

1 Nur kein _St_ ress: Ein ____aziergang im ____adtpark, im ____ommer
ein bisschen im ____ee ____wimmen. Das ist Ent____annung.

2 Fitnesstraining vor dem Früh____ück, in der Mittag____ause ein bisschen
____eil____ringen, abend____ ins Fitness____udio und jeden
Dien____ag und Donner____ag Ba____ketball ____ielen.
____ort macht ____lank und macht ____aß!

➕ **NOCH MEHR?**
Seite 99–100

12 Ergänzen Sie die Gespräche. Ⓚ KB 6

an deiner Stelle | du solltest auf jeden Fall | eine neue Sportart ausprobieren | einen Tipp für mich
~~möchte Sport machen~~ | passt zu mir | Sportart würdest du mir empfehlen | mach doch

○ Ich habe zu wenig Bewegung. Ich _möchte Sport machen_ (1).
Welche _____ (2)?

▢ Sport in der Mannschaft macht am meisten Spaß. Du hast doch früher Basketball
gespielt. _____ (3) würde ich das wieder machen.

○ Ich bin sportlich, mag Wasser – und ich habe keine Angst vor Haien.
Welche Sportart _____ (4)?

▢ _____ (5) im Meer tauchen.
Du wirst es lieben!

○ Mila, ich habe mal eine Frage: Ich möchte _____
_____ (6). Ich jogge jetzt zwei Mal pro Woche und da bin ich viel draußen. Das ist gut,
aber irgendwie ist es ein bisschen langweilig. Hast du _____ (7)?

▢ _____ (8) Stand-up-Paddeln. Das macht Spaß.
Du solltest das echt mal ausprobieren.

13 Lesen Sie Sabrinas Profil. Ⓚ KB 6 — SCHREIBEN

Welche Sportart würden Sie ihr empfehlen? Schreiben Sie Tipps wie in 12.

Sabrina
@naturliebhaber

ich bin nicht so sportlich, ♥ Natur, suche
Sportart für Anfänger

ophelia_24
@Sabrina

du solltest unbedingt … ausprobieren, weil …
Du könntest auch …

1 Das Leben ist fantastisch! Finden Sie Adjektive und ordnen Sie zu. Ⓦ

be   ent   ~~far~~   ge   geis   gie   neu   rig   stresst   ~~tas~~   täuscht   tert   ~~tisch~~

A Aaah, das Leben ist *fantastisch* !

B *Wie?* *Keine Hundeschokolade?* **Ich bin** _____ .

C WAS IST DAS DENN? Jetzt bin ich aber _____

D *Juhuu, der erste* *schnee!* Ich bin _____

E Mein Leben ist *sehr entspannt.* Ich bin nie _____

2 Zwei Wörter pro Zeile passen nicht. Streichen Sie durch. Ⓦ

a ◆ Gymnastik | ◆ ~~Werbespot~~ | ◆ Tischtennis | ◆ Eishockey | ◆ ~~Überraschung~~ | ◆ Badminton
b ◆ Sportart | ◆ Sporthalle | ◆ Referat | ◆ Verein | ◆ Wettkampf | ◆ Krimidinner
c ◆ Dozent | ◆ Ballett | ◆ Zaubershow | ◆ Musical | ◆ Tauchen | ◆ Lesung
d ◆ Mitarbeiter | ◆ Homeoffice | ◆ Kabarett | ◆ Clown | ◆ Meeting | ◆ Präsentation

1 ◀)) **3 Audiotraining: *Ich habe gehört, ...*** Ⓦ Ⓚ
48
Hören Sie und reagieren Sie mit *Stimmt! ...*

4 Was spielt Fridolin gern? Ⓦ
Lösen Sie das Rätsel und beantworten Sie dann die Frage.

überzeugen|unterschreibenreservierenausschalten
buchenaufgehenklingtgeschenkttrainierenteilnehmen

a Für den Wettkampf müssen wir noch viel ... _____
                                                    5
b Die Tickets habe ich zum Geburtstag ... bekommen. _____
                                                    10   1
c Eine Einladung ins Theater? Das ... super! _____
                                                11   16
d Sollen wir den Flug ...? _____
                            8
e Unsere Freundin zögert noch. Wir müssen sie ... ü b e r z e u g e n
                                                    14   6
f Es ist 6 Uhr. Die Sonne muss gleich ... _____
                                          3   12
g Die Sonne scheint. Könnt ihr das Licht bitte ...? _____
                                                    15   9 2
h Tut mir leid, ich kann am Meeting nicht ... _____
                                              17
i Der Chef muss den Vertrag noch ... _____
                                    13   7
j Könntest du bitte einen Tisch im Restaurant ...? _____
                                                    4

_____ *e* und _____ *b* .
1 2 3 4 5 6 7   8 9 10 11 12 13 14 15 16 17

5 Welche Antwort ist nicht freundlich? Kreuzen Sie an. Ⓚ

a ○ Wir könnten das Online-Meeting auf den 26. Mai verschieben. Was haltet ihr davon?

◻ ○ Einverstanden.   ○ Ja gern, das ist eine gute Idee.   ⊠ Jetzt schon?

b ○ Wir müssen noch die Besprechung organisieren. Könntest du das bitte übernehmen?

◻ ○ Das ist nichts für mich.   ○ Tut mir leid, das geht nicht.   ○ Ich schaffe das leider nicht.

c ○ Herr Osman, können Sie bitte die Einladungen verschicken?

◻ ○ Klar, das mache ich.   ○ Oh nein, muss das sein?   ○ Kein Problem, ich erledige das.

1 ◀)) **6 Audiotraining: *Du könntest …*** Ⓚ Ⓖ
49

Hören Sie und reagieren Sie.

7 Was antworten Elenis Freunde? Schreiben Sie Sätze. Ⓖ

Hallo zusammen! Yannis und ich wollen
am Samstagabend bei uns im Garten grillen.
Kommt ihr auch? LG Eleni

A
Mein Bruder feiert da seinen Geburtstag,
deshalb *geht Samstag leider nicht*
(Samstag | leider nicht | geht). Gruß Tim

B
Ich kann leider nicht, weil _____
_____ (muss | arbeiten | ich).
☹ Viele Grüße Moritz

C
Meine Eltern kommen zu Besuch, deshalb

_____ (ich | leider keine Zeit | habe). LG Latifa

D
Ich kann nicht, weil _____
_____ (samstags immer |
Badminton | spiele | ich). Tut mir leid. Ali

E
Das ist eine super Idee! Deshalb

_____ (wir | kommen | gern). ☺ Gruß Sofia & Leo

1 ◀)) **8 Audiotraining: *Wir haben eine Dauerkarte, weil …*** Ⓚ Ⓖ
50

Hören Sie und sagen Sie es anders.

9 Was ist falsch? Lesen Sie und streichen Sie durch. Ⓖ

In einem Monat / ~~ein Monat~~ (1) beginnen wieder die Sommerferien! Natürlich haben wir auch
in diesem Jahr ein super Ferienprogramm: Vom zehnte Juli / zehnten Juli (2) bis zum zwanzigsten
August / zwanzigste August (3) können sich Kinder auf Spiel, Spaß, Sport und viele Überraschungen freuen. Los geht's am elfte Juli / elften Juli (4) um 14:00 Uhr mit einer Zaubershow im
Stadttheater. Nach der Show / die Show (5) können die Kinder einen Kurs besuchen und Zauber-
tricks lernen. Der Kurs dauert über eine Stunde / einer Stunde (6) und ist kostenlos.

1 ◀)) **10 Programm für Sportfreunde** Ⓚ ─────────────────────────── **SPRECHEN**
51

Sie möchten mit einem Freund aus Ihrem Heimatland am Wochenende zusammen etwas
machen. Ihr Freund mag Sport, versteht aber kein Deutsch. Hören Sie die Information
im Radio und sagen Sie in Ihrer Sprache: Welche Sportarten kann man am Vormittag und
welche am Nachmittag ausprobieren?

1 **Lesen Sie das Veranstaltungsprogramm und die Aufgaben a–g.** — LESEN

Was ist richtig? Kreuzen Sie an.

---

www.neustadt.de/freizeit ✕

SPORT IM PARK!

Am Wochenende beginnt wieder Sport im Park! Bis Ende September können Sie täglich, auch an Sonn- und Feiertagen, Sport machen. Alle Veranstaltungen finden draußen und nur bei gutem Wetter statt. Für die Kurse brauchen Sie ein Fitness-Ticket. Eine Anmeldung gibt es nicht. Die Tickets können Sie im Rathaus kaufen. Jedes Ticket kostet 5 Euro, es gibt auch Familientickets für 10 Euro und Dauertickets für 30 Euro.

Kondition und Alter – egal: Jede und jeder kann mitmachen. Bitte bringen Sie ein Handtuch und etwas zum Trinken mit. Weitere Informationen zum Programm erhalten Sie im Rathaus.

Stadtgarten – bei den Tischtennisplatten
Mo 17:30–18:15 Uhr Yoga für Anfänger
Di 08:30–09:30 Uhr Workout + Entspannung
Sa 18:15–19:00 Uhr Gymnastik für Jung + Alt

Wiesental – Ecke Waldstraße / Dorfweg
Mi 12:30–13:15 Uhr Volleyball
Do 16:45–17:30 Uhr Nordic Walking
So 10:00–10:45 Uhr Fitness für Senioren

Südpark – beim Badesee
Fr 10:45–11:30 Uhr Aquafitness
So 15:15–16:00 Uhr Stand-up-Paddeln
So 18:00–18:45 Uhr Joggen um den See

Fußballstadion – direkt am Eingang Sporthalle
Mo 17:45–18:30 Uhr Spaß für Familien
Di 15:00–15:45 Uhr Rückenfitness
Sa 11:30–12:15 Uhr Fit mit dem Kinderwagen

---

a ⊠ Man kann an jedem Tag Sport machen.

b ◯ Die Kurse finden in Sporthallen statt.

c ◯ Bei Regen gibt es keine Kurse.

d ◯ Man muss sich im Rathaus anmelden.

e ◯ Ein Ticket für eine Person kostet 10 Euro.

f ◯ Im Stadtgarten können auch Kinder Sport machen.

g ◯ Wassersport gibt es nur im Südpark.

.... / 6 Punkte

---

2 **Lesen Sie den Blog von Ihrer Freundin Jessica.** — SPRECHEN

Was antworten Sie ihr? Machen Sie Notizen und schicken Sie eine Sprachnachricht. Geben Sie ihr vier Tipps. Denken Sie auch an die Anrede und den Gruß.

---

www.Jessicas-Blog.de ✕

Jessi live aus Norwegen!

Gestern habe ich das erste Mal Polarlichter gesehen, das war fantastisch!!
Jetzt bin ich seit zwei Monaten hier und helfe meiner Gastfamilie im Haus und bei der Waldarbeit, dafür kann ich hier wohnen und essen. Leider klappt das nicht so gut. Die Eltern sind immer gestresst und die Arbeit ist sehr anstrengend. Ich bin ziemlich enttäuscht und habe oft Kopfschmerzen. Die Familie versteht meine Probleme nicht. Was würdest du an meiner Stelle machen?

▶ ● ──────────

[Hi, das ist ja schade! ... Du solltest ...]

1. zum Arzt?
2. neue Stelle? ...

.... / 6 Punkte

3 Informationen aus dem Radio ──────────────────────────

1 ◀))
52–58

Was ist richtig: a, b oder c? Hören Sie
und kreuzen Sie an.

1 Wann kann man die Freizeittipps hören?
   a ○ freitags
   b ☒ samstags
   c ○ sonntags

2 Welcher Wettkampf findet
nicht statt?
   a ○ Basketball
   b ○ Fußball
   c ○ Rudern

3 Was kann man gewinnen? Tickets für …
   a ○ ein Ballett im Theater.
   b ○ eine Lesung.
   c ○ ein Musical.

4 Wo findet die Zaubershow statt?
   a ○ in der Bücherei
   b ○ in der Schule
   c ○ im Zirkus

5 Was kostet die App pro Monat?
   a ○ nichts, sie ist kostenlos
   b ○ 4,99 Euro
   c ○ 24,99 Euro

6 Was schlägt das Radioteam vor? Man soll …
   a ○ einen Film im Internet anschauen.
   b ○ Freunde nach Hause einladen.
   c ○ mit Freunden in eine Bar gehen.

7 Was kann man nächsten Samstag
im Theater machen?
   a ○ eine Oper anschauen
   b ○ selbst Theater spielen
   c ○ zusammen kochen

_____ / 6 Punkte

4 Lesen Sie die E-Mail. ──────────────────────────

Übernehmen Sie zwei Aufträge, für die anderen zwei haben Sie keine Zeit.
Antworten Sie und denken Sie auch an die Anrede und den Gruß.

⬤⬤⬤   ✕

Liebes Team,

vor den Ferien müssen wir noch dringend ein paar Aufgaben erledigen:
– Rechnungen für Juli bezahlen
– Termine mit der Firma Della Torre ausmachen
– Vertrag mit Herrn Schlüter (IT-Service) vorbereiten
– Präsentation an alle Seminarteilnehmer verschicken

Wer kann welche Aufgaben übernehmen? Antworten Sie mir bitte bis Mittwochvormittag.

Vielen Dank und beste Grüße
Christoph Kain

⬤⬤⬤   ✕

_____ ,

ich kann gern

_____

Leider

_____

_____

_____

_____ / 6 Punkte

😊 20 – 24   Punkte
😐 13 – 19   Punkte
☹️ 0 – 12   Punkte

JOSHUA HENNING   322 Kontakte 👥

🖥 BA Eventmanagement

📍 Köln, Deutschland

Über mich:

Meine Mutter ist Amerikanerin, mein Vater Deutscher. Ich bin in den USA in die Schule und ins College gegangen. Hier in Deutschland suche ich eine Stelle als Event- bzw. Veranstaltungsmanager. Meine Muttersprache ist Englisch, aber ich spreche auch sehr gut Deutsch und ein bisschen Spanisch.

1 Lesen Sie Joshua Hennings Profil und dann die Stellenanzeige.

Was denken Sie: Passt die Stelle zu Joshua? Sollte er sich bewerben?
Sprechen Sie im Kurs.

❗ BA = Bachelor of Arts
MA = Master of Arts

www.eventskoeln.de/jobs

Eventagentur in Köln sucht Eventmanager (m/w/d)
mindestens zwei Jahre Berufserfahrung, sehr gute Sprachkenntnisse in Deutsch und Englisch. » mehr Info

2 Joshuas Bewerberprofil

a Lesen Sie Joshuas Profil noch einmal und ergänzen Sie die Informationen 1–2.

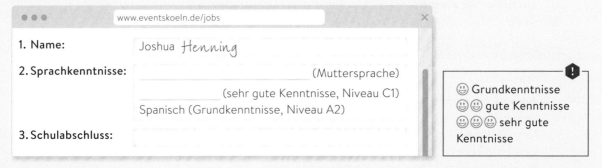

www.eventskoeln.de/jobs

1. Name: Joshua *Henning*

2. Sprachkenntnisse:
                                              (Muttersprache)
                              (sehr gute Kenntnisse, Niveau C1)
   Spanisch (Grundkenntnisse, Niveau A2)

3. Schulabschluss:

❗ 🙂 Grundkenntnisse
🙂🙂 gute Kenntnisse
🙂🙂🙂 sehr gute Kenntnisse

b Forum: Lesen Sie Joshuas Frage und die Antworten. Ergänzen Sie dann die Information 3 in **a**.

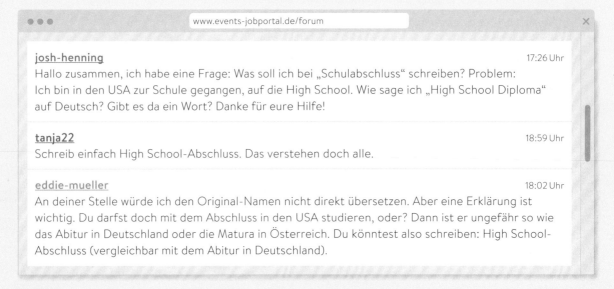

www.events-jobportal.de/forum

josh-henning   17:26 Uhr
Hallo zusammen, ich habe eine Frage: Was soll ich bei „Schulabschluss" schreiben? Problem:
Ich bin in den USA zur Schule gegangen, auf die High School. Wie sage ich „High School Diploma"
auf Deutsch? Gibt es da ein Wort? Danke für eure Hilfe!

tanja22   18:59 Uhr
Schreib einfach High School-Abschluss. Das verstehen doch alle.

eddie-mueller   18:02 Uhr
An deiner Stelle würde ich den Original-Namen nicht direkt übersetzen. Aber eine Erklärung ist
wichtig. Du darfst doch mit dem Abschluss in den USA studieren, oder? Dann ist er ungefähr so wie
das Abitur in Deutschland oder die Matura in Österreich. Du könntest also schreiben: High School-
Abschluss (vergleichbar mit dem Abitur in Deutschland).

3 Welche Kenntnisse hat Ihre Partnerin / Ihr Partner? Sprechen Sie.

> Welche Sprachkenntnisse hast du? Und wie sind deine Computerkenntnisse? Hast du noch andere Kenntnisse, z. B. in …?

> Ich spreche sehr gut Französisch und …

> **!** Kenntnisse in Englisch, Technik, Marketing …
> ⚠ Computerkenntnisse, Sprachkenntnisse …

4 Berufserfahrung und weitere Kenntnisse

a Sortieren Sie den Chat.

> **!** zuständig für die Organisation, den Verkauf, die Planung, …

> ⟨1⟩ Hey Josh, ich gehe heute Abend noch ins Fitnessstudio. Kommst du mit? 😙 Olena

> ◇ Klingt gut. Und was soll ich bei „Weitere Kenntnisse" schreiben?

> ◇ Da schreibst du: Was kannst du gut? Z. B. „Organisationstalent" oder „Sehr gute Kenntnisse in Textverarbeitung und Fotobearbeitung".

> ◇ Danke, du bist ein Schatz! Wir sehen uns gleich im Fitnessstudio.

> ◇ Na ja, was du bisher gemacht hast. Du könntest schreiben: „Zuständig für die Organisation von Sportveranstaltungen" oder „Verantwortlich für die Organisation von Sportveranstaltungen".

> ◇ Ich muss erst mein Bewerbprofil fertigmachen. 🙁 Bin gerade bei „Berufserfahrung". Was schreibe ich denn da?

b Lesen Sie noch einmal den Chat in **a** und ergänzen Sie die fehlenden Informationen in Joshuas Bewerbprofil.

4. Berufserfahrung:	1/18–1/21 Eventmanager bei *the sportsmakers* (NY, USA)
5. Weitere Kenntnisse:	

5 Und jetzt Sie: Schreiben Sie Ihr Bewerberprofil.

a Schreiben Sie Ihr Bewerberprofil auf ein Blatt Papier. Arbeiten Sie dann zu viert. Lesen Sie die Profile der anderen Gruppenmitglieder und geben Sie Tipps.

> Bei „Weitere Kenntnisse" könntest du „sehr gute IT-Kenntnisse" schreiben.

b Hängen Sie alle Profile im Kursraum an die Wand. Machen Sie einen Kursspaziergang. Welche Profile gefallen Ihnen besonders gut? Sprechen Sie im Kurs.

1 Vorbereitung LESEN

a Einkaufsbummel im Sport-Kaufhaus. Lesen Sie zuerst
die Situationen 1–2. Welche Informationen sind wichtig?
Markieren Sie wie im Beispiel.

> Was ist wichtig?
> Z. B. Fragen wie *Was / Wo / Für
> wen / … suchen Sie …?*

1 Sie möchten eine Hose für Ihre Tochter (7 Jahre) kaufen.
2 Sie suchen für Ihren Freund einen Rucksack zum Geburtstag.

b Lesen Sie das Schild im Sport-Kaufhaus. Lesen Sie jetzt noch einmal die Situationen in **a**.
Wo finden Sie die Informationen auf dem Schild? Markieren Sie.

5. STOCK	Café, Spielecke für Kinder, Kletterwand, Reparatur von Zelten und Rucksäcken, Schuhwerkstatt, Werkzeug, Zeltausstellung
2. STOCK	Mode für Kinder und Jugendliche, Fitnesstraining, Funktionswäsche, Laufen, Gymnastik, Yoga & Entspannung, Tennis
EG*	Information, Uhren, Brillen, Sporttaschen, Rucksäcke, Socken, Geldbeutel, Geschenke, Reisebücher und Zeitschriften

* EG = Erdgeschoss

c Vergleichen Sie die Markierungen in **a** und **b** und entscheiden
Sie: In welches Stockwerk gehen Sie? Es gibt immer nur eine
Lösung. Kreuzen Sie an: a , b oder c .

> Lesen Sie in der Aufgabe:
> Bei 1 steht 5. Stock und EG.
> Dort gibt es keine Hose für
> Kinder. Also ist c = anderer
> Stock richtig. Sie müssen **nicht**
> den richtigen Stock finden.

1 a 5. Stock   **2** a 2. Stock
  b EG   b EG
  ☒ anderer Stock   c anderer Stock

2 In der Prüfung

Lesen Sie das Schild in einem Sport-Kaufhaus. Lesen Sie dann die Aufgaben 1 – 5 auf Seite 47.
In welchen Stock gehen Sie? Wählen Sie die richtige Lösung a , b oder c .

WILLKOMMEN IM SPORTHAUS AM MARKTPLATZ	
5. STOCK	Café, Spielecke für Kinder, Kletterwand, Reparatur von Zelten und Rucksäcken, Schuhwerkstatt, Werkzeug, Zeltausstellung
4. STOCK	Outdoor-Küche, Grillen und Picknick, Essen und Trinken, Campinggeschirr, Schlafsäcke, Handtücher
3. STOCK	Radsport, Fahrräder, Helme, Fahrradcomputer, Fahrradtaschen, Fußball, Bergsport, Skikleidung, Schwimmen, Tauchen, Angeln, Boote
2. STOCK	Mode für Kinder und Jugendliche, Fitnesstraining, Funktionswäsche, Laufen, Gymnastik, Yoga & Entspannung, Tennis
1. STOCK	Mode für Frauen und Männer, Wander- und Bergsteigen, Wanderstöcke, Wanderschuhe, Handschuhe
EG	Information, Uhren, Brillen, Sporttaschen, Rucksäcke, Socken, Geldbeutel, Geschenke, Reisebücher und Zeitschriften
UG*	Reisebüro, Reisespiele und Spielzeug, Kunden-WC, Kinderkino, Geldautomat, E-Bike mieten

* UG = Untergeschoss

Beispiel

0 Ihre Wanderschuhe sind kaputt.
Sie wollen sie reparieren lassen.
- ☒ 5. Stock
- b 1. Stock
- c anderer Stock

3 Sie wollen ein Buch über Campingurlaub
in Italien kaufen.
- a 4. Stock
- b EG
- c anderer Stock

1 Sie möchten eine Skitour buchen.
- a 3. Stock
- b UG
- c anderer Stock

4 Sie möchten einen Geldbeutel kaufen.
- a 2. Stock
- b EG
- c anderer Stock

2 Sie möchten sich ausruhen und
einen Kaffee trinken.
- a 5. Stock
- b 4. Stock
- c anderer Stock

5 Sie suchen für die nächste Tour eine
Tasche für Ihr Fahrrad.
- a EG
- b UG
- c anderer Stock

1 Vorbereitung   SCHREIBEN

a Lesen Sie die E-Mail. Wo finden Sie Informationen zu den Fragen 1–6? Ordnen Sie zu.

●●●   ✕

Von: Lilly Montgomery
An: f.seitz@sprachschule-jena.org   ✉→

Liebe Frau Seitz, ②

vielen Dank für Ihre Einladung zur Jubiläumsparty. Ich habe mich sehr gefreut und
komme auf jeden Fall. ⬡
Ich kann gern einen Kartoffelsalat mitbringen. Ist das für Sie in Ordnung? ⬡
Wann beginnt denn die Party? Ich arbeite bis 20 Uhr, danach habe ich Zeit. ⬡

Herzliche Grüße und bis bald ⬡
Lilly Montgomery ⬡

1 Wer schreibt die E-Mail?

2 Wem schreibt Lilly die E-Mail?

3 Kommt Lilly zur Party?

4 Wann kann Lilly kommen?

5 Was bringt Lilly mit?

6 Wie endet die E-Mail?

b Was passt zusammen? Verbinden Sie.

1 Sie bringen etwas zu essen mit.

2 Sie fragen nach dem Weg.

3 Sie möchten nicht allein kommen.

4 Sie bedanken sich.

5 Sie fragen nach der Uhrzeit.

6 Sie freuen sich.

a Kann ich meinen Freund mitbringen?

b Wann geht es los?

c Wie schön, das ist eine tolle Idee!

d Soll ich eine Vorspeise machen?

e Wie komme ich am besten zu Ihnen?

f Herzlichen Dank für die Einladung.

2 In der Prüfung

Ihre Lehrerin, Frau Seitz, hat ein Buch geschrieben.
Sie hat Ihnen eine Einladung zu ihrer Lesung in der Luisenschule geschickt. Schreiben Sie Frau Seitz eine E-Mail:

- Bedanken Sie sich. Sie kommen gern.
- Sie möchten gern Ihre Freundin / Ihren Freund mitbringen.
- Fragen Sie nach dem Weg (Bus oder Straßenbahn?).

Schreiben Sie zu allen drei Punkten ein bis zwei Sätze (circa 30–40 Wörter).

> **!** Lesen Sie die E-Mail in **1** noch einmal. Können Sie die drei Punkte in Ihrem Text finden? Haben Sie auch eine Anrede und einen Gruß geschrieben? Zählen Sie: Wie viele Wörter hat Ihre E-Mail?

1 Vorbereitung ──────────────────────────────── SPRECHEN

a Sie bereiten mit Ihrer Partnerin / Ihrem Partner das nächste Team-Meeting in Ihrer Firma vor. Welche Sätze passen zusammen? Verbinden Sie.

1 Wann treffen wir uns?

A Das ist zu spät. Geht auch 12 Uhr?

2 Nein, das geht nicht. Hast du am Freitag Zeit?

B Ja, gern. Das ist eine gute Idee.

3 Dann ist 13 Uhr okay?

C Ja, das passt. Aber nur am Vormittag.

4 Ja, dann treffen wir uns vor dem Mittagessen?

D Passt es dir am Mittwoch?

b Was können Sie noch sagen? Ergänzen Sie aus **a** und finden Sie weitere Lösungen im Kursbuch, Lektion 5, Aufgabe 4.

einen Termin vorschlagen: *Hast du am ... Zeit? /* _____

einem Termin zustimmen: *Prima! /* _____

einen Termin ablehnen: *Nein, das geht nicht. /* _____

einen neuen Termin vorschlagen: *Nächsten Monat habe ich mehr Zeit. /* _____

c Finden Sie einen Termin. Schreiben Sie Fragen und Antworten mit den Sätzen aus **b**.

1 **○** (Dienstag, 11 Uhr?) *Passt es bei dir nächsten Dienstag? Vielleicht um 11 Uhr?*

   □ (leider keine Zeit) _____

2 **○** (Mittwoch?) _____

   □ (Urlaub, nächste Woche mehr Zeit) _____

3 **○** (Freitag, 17 Uhr?) _____

   □ (passt nicht, 14 Uhr?) _____

   ○ (okay) _____

2 In der Prüfung

Ihre Partnerin / Ihr Partner und Sie arbeiten bei einer Medienagentur. Sie möchten zusammen für eine Besprechung mit einem Kunden eine Präsentation vorbereiten. Finden Sie einen Termin. Sie arbeiten mit Kalender A, Ihre Partnerin / Ihr Partner arbeitet mit Kalender B.

A

≥4 MONTAG		
8 Zahnarzt	14	
9 Frühstück im Team	15	
10	16	Werbespot vorbereiten
11 Besprechung (Fr. Hof)	17	
12 } Geschäftsreise mit	18	
13 } Noemi buchen	19	

B

		13:30 Geschäftsessen
19 vom Flughafen abholen	12	
18 Herrn Rupp	11 Online-Meeting	10:00–12:00
17 mit Helena telefonieren	10	
16	9	
15	8	
14 Vertrag prüfen + unterschreiben!!	≥4 MONTAG	

> **!**
> Antworten Sie nicht nur mit „Ja" oder „Nein". Sagen Sie mehr.
> Ihre Partnerin / Ihr Partner und Sie sollten beide gleich viel sprechen.

1 Vorbereitung ————————————————————— HÖREN

a Sammeln Sie Wörter zum Thema „Sport".

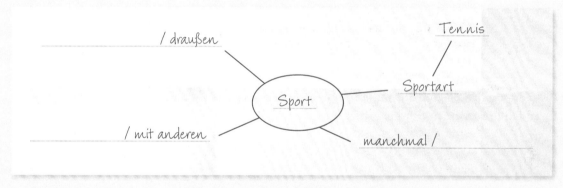

1 ◄)) 59–60 **b** Welchen Sport machen die Personen? Hören Sie und notieren Sie. Mehrere Lösungen sind möglich.

Text 1:
Frau: Golf
Mann: _____

Text 2:
Frau: _____
_____
Mann: _____

> **!**
> Achten Sie auf kleine Wörter wie z. B. *nie* in *Mein Freund kommt nie mit.*

1 ◄)) 61 ## 2 In der Prüfung

Sie hören ein Interview mit fünf Personen. Kreuzen Sie die richtigen Antworten an.
Pro Person sind mehrere Antworten möglich. Sie hören die Texte einmal.

Welchen Sport machen Sie gern?					
	Yoga	Basketball	Tischtennis	Klettern	Joggen
1. Sprecher	○	○	○	○	○
2. Sprecherin	○	○	○	○	○
3. Sprecher	○	○	○	○	○
4. Sprecherin	○	○	○	○	○
5. Sprecher	○	○	○	○	○

> **!**
> Hören Sie genau: Wer geht joggen? Die Frau oder ihr Freund?

07 Super, dass es da auch Pizza gibt!

1 Oh nein! Ⓦ KB 1

a Was passt? Ordnen Sie zu.

○ Leo15 Puh! So wird das doch nichts mit der Entspannung! 😣

◇ Kira Oh, nein! Hoffentlich funktioniert er noch! 😮

⬡ Tini Äh, interessant! Kickboxen passt gar nicht zu ihr. 😬

○ ToLe Haha! Alles ziemlich altmodisch, aber das macht sicher Spaß! 😆

b Partneraufgabe: Suchen Sie ein Foto und schicken Sie es an Ihre Partnerin / Ihren Partner. Sie / Er schreibt einen Kommentar wie in **a**.

| altmodisch | anstrengend | fantastisch | furchtbar |
| hart | langweilig | spannend | stressig | … |

2 Finden Sie noch fünf Wörter und ordnen Sie zu. Ⓦ KB 3

bier|süßigkeitenmineralwasserfleischalkoholapfelsaft

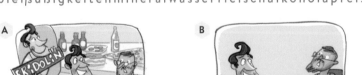

A — Möchtest du ein *Bier* (1) trinken?
Nein, danke! Ich trinke keinen .... (2).

B — Möchtest du ein Glas .... (3)?
Nein, danke! Ich mag keinen Saft.

C — Möchtest du ein Stück Salamipizza?
Nein, danke! Ich esse kein .... (4).

D — Vielleicht ein Stück Torte? Oder Schokolade?
Nein, danke! Ich esse keine .... (5).

E — Kann ich dir denn gar nichts anbieten?
Doch, ich nehme gern ein Glas .... (6).

F — Klar, aber gesund muss es sein!
In deinem Profil steht doch: „Ich esse und trinke fast alles!"

3 **Nach dem Date: Lesen Sie die Posts und ordnen Sie zu.** KB 4

Anfang   Glück   Humor   Kilometern   Kiosk   ~~Radtour~~   Vegetarier

---

Daniel
@sofatiere

Mit Stefanie habe ich gestern eine
Radtour (1) gemacht. Am
_____ (2) war Stefanie noch
ziemlich kritisch, nur weil ich Hunger
und Durst hatte. Doch dann haben wir
gut miteinander geredet und viel gelacht.
Ich liebe ihren _____ (3)! 😍
Der Ausflug war also entspannt und ich
habe den Tag sehr genossen. Hoffentlich
sehe ich Stefanie bald wieder! 😁

Stefanie
@Mädelsabend

Daniels Profil im Internet war ein Traum!
Sportlich, trinkt keinen Alkohol, isst kein
Fleisch. Also ein _____ (4).
Wie ich! Aber auf der Radtour war
dann alles ganz anders – und ich war total
enttäuscht. 🙁 Schon nach ein paar
_____ (5) hat Daniel eine
Pause vorgeschlagen. Dann kauft er doch
am _____ (6) eine Salamipizza
und ein Bier! 😣 Ich habe einfach
kein _____ (7) mit Männern! 😐

---

4 **Du bist doch Vegetarierin!** G 🔍 KB 4

a Welcher Nebensatz (*dass-* oder *weil-*Satz) beantwortet die Frage *Was?*, welcher
die Frage *Warum?*? Lesen Sie das Gespräch und unterstreichen Sie.

○ Komisch, <u>dass du einen Burger bestellt hast</u>. Du bist doch Vegetarierin!

◘ Nein, nein. Ich esse nur so wenig Fleisch wie möglich, weil ich damit
etwas für die Umwelt tun kann. Aber bei Burgern mit Bio-Fleisch kann
ich nicht *Nein* sagen, weil sie so lecker sind.

○ Hm, also ich esse ja kein Fleisch, weil mir die Tiere so leidtun.

◘ Das verstehe ich. Schade, dass das nicht mehr Leute machen.

> ❗ In *dass-* und *weil-*Sätzen
> steht das konjugierte Verb
> ○ nach *dass* / *weil*
> ○ am Ende .

b Lesen Sie die Nebensätze in **a** noch einmal. **Markieren** Sie die
konjugierten Verben. Lesen Sie dann die Regel und kreuzen Sie an.

5 **Schön, dass …** K G KB 4

a Welches Emoji passt zu den Satzanfängen? Ordnen Sie zu.

1   2   3   4   5

(◯ Ich fürchte, …)   (◯ Ich glaube, …)   (⬡ Schade, …)   (◯ Schön, …)   (① Ich hoffe, …)

b Was passt? Kreuzen Sie an.

○ ☒ Schön ◯ Schade (1), dass wir morgen für zwei Wochen
ans Meer fahren.

◘ Ja, ich freue mich auch. Ich ◯ hoffe ◯ fürchte (2),
dass das Wetter so schön bleibt.

○ Ja, hoffentlich! ◯ Schön ◯ Schade (3), dass Timo doch
nicht mitkommen kann!

◘ Vielleicht kommt er doch noch. Ich ◯ finde ◯ glaube (4),
dass er das versuchen will.

○ Ich ◯ hoffe ◯ fürchte (5), dass das nicht klappt.
Er hat einfach zu viel Arbeit.

➕ **NOCH MEHR?**
Seite 100

6 **Mia und Sven suchen ein WG-Zimmer.** Ⓖ KB 5

Was steht in ihren Profilen? Schreiben Sie eine Zusammenfassung.

MIA
Hobbys? Lesen und tanzen.
Kochen? Total gern!
Wohnen? Ordentlich, ordentlich, ordentlich!
Feiern? Manchmal am Wochenende!

SVEN
Hobbys? Spieleabende!
Kochen? Lieber Pizza bestellen!
Wohnen? Auf keinen Fall allein!
Feiern? Unbedingt!

In Mias Profil steht, dass … Und in Svens Profil lesen wir, dass …

7 **Café Seeterrassen** Ⓖ KB 5   SPRECHEN

a Wer meint was? Lesen Sie die Bewertungen und notieren Sie.

www.cafe-seeterrassen.de

BEWERTUNGEN

1 <u>Flo</u> Die Erdbeertorte ist megalecker!
2 <u>Trixi</u> Schön! Man kann direkt am See sitzen.
3 <u>JJ03</u> Ich komme auf jeden Fall wieder!
4 <u>Ib</u> Ja, aber die Preise sind viel zu hoch!
5 <u>Nina</u> Genau so ein Café hat am See gefehlt.

1. Flo meint, dass die Erdbeertorte megalecker ist.
2. Trixi findet es schön, dass …
3. JJ03 ist sicher, dass er …
4. Ib findet, …
5. Nina denkt, …

b Partneraufgabe: Schicken Sie Ihrer Partnerin / Ihrem Partner eine Sprachnachricht.
Schlagen Sie das Café vor und erzählen Sie von den Bewertungen.

▶ ━━━━━━━━━━━━━━●━━━━━━━━━━━━━━━

[Wollen wir ins Café Seeterrassen gehen? Das soll super sein! Ich habe
im Internet gelesen, dass … und dass … Eine Person ist sicher, dass sie …]

8 **Was gibt es im Café Seeterrassen noch?** Ⓦ Ⓖ KB 6

Bilden Sie Wörter und ergänzen Sie die Speisekarte.

❗ die Birne + der Kuchen
= der Birnenkuchen

Banane ~~Birne~~ Marmor Schorle Wein Wurst

Speisekarte

Hauptgerichte		**Dessert**		**Getränke**	
◆ Gemüsepizza	€9	◆ Erdbeertorte	€6	◆ Mineralwasser	€3
◆ Bio-Burger	€8	◆ _Birnen_ kuchen	€4	◆ Bier	€5
◆ Brat_____	€7	◆ _____ kuchen	€6	◆ Rot_____	€7
		◆ _____ kuchen	€6	◆ Saft_____	€4

9 **Ergänzen Sie mit Artikel und vergleichen Sie.** Ⓦ KB 6

▬	═	Andere Sprachen
die Cola	das Cola	
	(der) Apfelsaft gespritzt	
	das Schinkenweckerl	
	der Schlagobers	

10 Welche Reaktion passt? Kreuzen Sie an. Ⓚ KB 7

a ⊙ Entschuldigung!
⊠ ▫ Einen Moment bitte.
◯ ▫ Sonst noch etwas?

c ◯ Haben Sie den Kakao auch mit Sahne?
◯ ▫ Tut mir leid, das haben wir nicht.
◯ ▫ Möchten Sie auch etwas zu essen?

b ▫ Was darf's sein?
◯ ⊙ Nein danke, das ist alles.
◯ ⊙ Ich hätte gern eine Cola.

d ⊙ Wir zahlen dann gleich.
◯ ▫ Zusammen oder getrennt?
◯ ▫ Stimmt so.

11 Schreiben Sie das Gespräch. Ⓚ KB 7

Bar. Fünf Euro, stimmt so. ~~Einen Augenblick, bitte. … Was darf's sein?~~

Das macht vier Euro fünfzig. Bar oder mit Karte? Was macht das?

Ja, eine Cola bitte. Ja, sicher. Gern. Möchten Sie auch etwas zu trinken?

Nein danke, aber kann ich die Bratwurst mit Brot bekommen? ~~Hallo!~~

Eine Cola. Sehr gern. Sonst noch etwas? Ich hätte gern eine Bratwurst.

> Gast: Hallo!
> Angestellte: Einen Augenblick, bitte. …
> Was darf's sein?

12 Die Konsonanten _b-d-g_ und _p-t-k_ KB 8 — AUSSPRACHE

2 ◀ᴉ) 01—03

a Hören Sie und sprechen Sie nach.

1 Bratwurst – Bier – Imb<u>i</u>ss
Pizza – Profil – Supermarkt

2 doch – danke – schad<u>e</u>
Torte – Tee – Rad<u>t</u>our

3 getrennt – Angestellte – Glas
Kasse – kompliziert – Ka<u>k</u>ao

2 ◀ᴉ) 04—09

b Ergänzen Sie die Buchstaben. Hören Sie dann und sprechen Sie nach.

1 Ein _B_ ier und einmal _____ izza Salami _____ itte!

2 _____ och _____ eine _____ izza, lieber _____ ratwurst. _____ anke!

3 Eine _____ asse _____ ee oder lieber einen _____ a _____ ao?

4 An der _____ asse im Su _____ ermarkt zahle ich _____ ar.

5 Ich _____ ezahle nur mit _____ ar _____ e.

6 _____ e _____ rennt zahlen ist _____ om _____ liziert.

13 Seht mal, meine erste Kochbox! Ⓦ KB 9 — SCHREIBEN

a Lesen Sie den Kochblog. Bilden Sie dann Wörter und ordnen Sie zu.

chen ~~fer~~ ku ~~lie~~ markt per pfann re ~~ser~~ su ~~vice~~ zept

www.Leas Blog.de/Asiatische Rezepte ✕

Lea Florin ▷ Asiatische Rezepte   10:04 Uhr

Seht mal, meine erste Kochbox! Der _Lieferservice_ (1) bringt die Lebensmittel. So muss ich nicht im _____ (2) an der Kasse stehen. 😤 Zum Glück ist auch ein _____ (3) dabei. 😊 Das hilft wirklich! Heute koche ich asiatisch. Mal keine Pizza, keine Nudeln und keine _____ (4). 😉 Wie findet ihr Kochboxen und was bestellt oder kocht ihr gern? Schreibt doch mal!

Ich   10:30 Uhr

b Schreiben Sie Ihre Antwort auf Leas Fragen in a.

08 Wenn ich tanze, vergesse ich alles!

1 In der Firma. Lösen Sie das Rätsel. Ⓦ KB 2

1 Besprechung mit mehreren Personen.
2 Ein „Zimmer" in einer Firma.
3 Sie macht eine Ausbildung.
4 Hier macht eine Firma ihre Produkte.
5 Hier kann man zu Mittag essen.
6 Hier sind die Waren nach der Produktion, bis die Firma sie verkauft.
7 In einer Firma gibt es verschiedene ...

```
          P
1 K O N F E R E N Z
          2
      3
      4
      5
        6
  7
```

Lösung: alle Mitarbeiter in einer Firma = das _____

2 Nomen mit -ung Ⓦ Ⓖ KB 3

a Finden Sie noch sechs Wörter.

besprechen|bezahlenberatenliefernuntersuchenverbessernvorbereiten

b Markieren Sie die Nomen mit -ung. Ergänzen Sie dann Wörter aus **a** in der richtigen Form.

1 ○ Die Chefin will morgen mit uns das neue Projekt *besprechen* .
  □ Wann ist die Besprechung?

2 ○ Wir müssen die Präsentation für das Meeting _____ .
  □ Stimmt. Was denkst du, wie lange brauchen wir für die Vorbereitung?

3 ○ Wir können die Ware auch _____ .
  □ Ist die Lieferung kostenlos?

4 ○ Eine Untersuchung zeigt: Tanzen macht fit!
  □ Wirklich? Wie haben sie das denn _____ ?

> besprechen → die ... + -ung: die Besprechung
> *auch so:* bezahlen → die Bezahlung, beraten → die Beratung, verbessern → die Verbesserung ...

3 Sie hören Themen für eine Radiosendung. Ⓦ KB 3

2 ◀)) 10

Leider gibt es Probleme mit der Technik. Welches Wort passt? Kreuzen Sie an.

a ☒ Unternehmen ○ Unterricht ○ Untersuchung
b ○ Arbeitnehmer ○ Arbeitgeber ○ Auszubildende
c ○ die Geschäftsreise ○ den Personalchef ○ das Betriebsklima
d ○ Arbeitnehmer ○ Firmen ○ Produktionen
e ○ ein Unternehmen ○ einen Unterricht ○ eine Untersuchung
f ○ die Abteilung ○ das Betriebsklima ○ die Wirtschaft
g ○ Anzeigen ○ Artikel ○ Verträge

4 Wie finden Sie das? Ⓦ Ⓚ KB 4

a Was passt? Ordnen Sie zu.

~~1 Tai-Chi~~   2 Pilates   3 Massage   4 Kicker

intranet.remedium AG/index.php

>>>> Intranet Remedium AG >>>> >>>> >>>> >>>> >>>> >>>> >>>> >>>> >>>> >>>>

Wir haben neue Angebote für Spaß, Entspannung und Bewegung in der Mittagspause.

b Lesen Sie und ergänzen Sie die Kommentare.

seltsam   toll   wichtig   ~~überrascht~~   wundert

1   Es _überrascht_ mich, dass es so viele verschiedene Angebote gibt. 😮 *Nora*

2   Tai-Chi ist ja okay. Aber wir haben keinen Ruheraum. Den brauchen wir unbedingt. Ich finde es
_____, dass die Firma einen Ruheraum einrichtet ... hoffentlich bald! *Veronika*

3   Cool! Ich finde es _____, dass es jetzt auch Massagen gibt. 😃 *Jakob*

4   Sport mit Kolleg*innen? Echt jetzt? Ich finde es _____, dass wir jetzt in der Mittagspause
auch noch Pilates machen sollen. 😟 *Thomas*

5   Kickertische gibt's in den meisten Firmen doch schon lange. Es _____ mich, dass wir erst
jetzt einen bekommen. 😮 *Jonas*

c Wie finden Sie die Angebote in **a**?
Schreiben Sie zwei bis drei Sätze.

> Es wundert mich, dass ...
> Ich finde es ...

5 Was macht ihr in der Mittagspause? Ⓚ KB 4

a Lesen Sie die Forumsbeiträge und kreuzen Sie an.

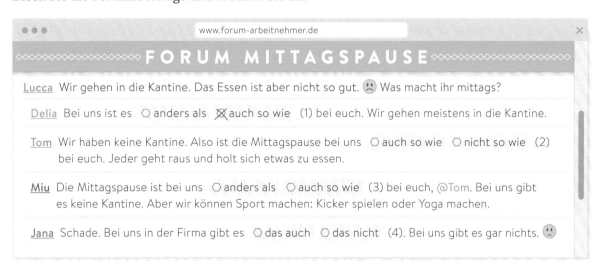

www.forum-arbeitnehmer.de

◇◇◇◇◇◇ FORUM MITTAGSPAUSE ◇◇◇◇◇◇

Lucca   Wir gehen in die Kantine. Das Essen ist aber nicht so gut. 😟 Was macht ihr mittags?

Delia   Bei uns ist es ○ anders als ☒ auch so wie   (1) bei euch. Wir gehen meistens in die Kantine.

Tom   Wir haben keine Kantine. Also ist die Mittagspause bei uns ○ auch so wie ○ nicht so wie   (2)
bei euch. Jeder geht raus und holt sich etwas zu essen.

Miu   Die Mittagspause ist bei uns ○ anders als ○ auch so wie   (3) bei euch, @Tom. Bei uns gibt
es keine Kantine. Aber wir können Sport machen: Kicker spielen oder Yoga machen.

Jana   Schade. Bei uns in der Firma gibt es ○ das auch ○ das nicht   (4). Bei uns gibt es gar nichts. 😟

b Wie ist die Mittagspause in Ihrer (Traum)Firma?
Schreiben Sie eine Antwort wie in **a**.

> Die Mittagspause ist bei uns ...
> Bei uns in der Firma gibt es ...

6 Wenn Norbert Hunger hat, ... Ⓖ 🔍 KB 5

a Lesen Sie die Sätze und die Regel. Ergänzen Sie dann die konjugierten Verben.

Hauptsatz 1		Hauptsatz 2
Norbert hat Hunger.	Er isst in der Kantine.	
Wenn Norbert Hunger _____ ,	(dann) _____ er in der Kantine.	

> ❗
> *Wenn*-Sätze:
> Erinnern Sie sich?
> **Nebensatz:**
> Das konjugierte
> Verb steht am Ende.
> **Hauptsatz:**
> Am Satzanfang kann
> *dann* stehen.

b Welcher Satz ist ein *Hauptsatz,* welcher ist ein *Nebensatz*? Ergänzen Sie in a.

7 Mein Arbeitsweg Ⓖ KB 5

a Lesen Sie und ergänzen Sie den Forumsbeitrag.

b Wie fahren Sie zur Arbeit oder zur Uni, wenn das Wetter schön / schlecht ist?
Schreiben Sie zwei bis drei Sätze.

> Ich *Wenn es regnet,*

➕ **NOCH MEHR?**
Seite 101

8 Der Betriebsausflug G KB 5 SPRECHEN

a Was passt? Lesen Sie die E-Mail und kreuzen Sie an.

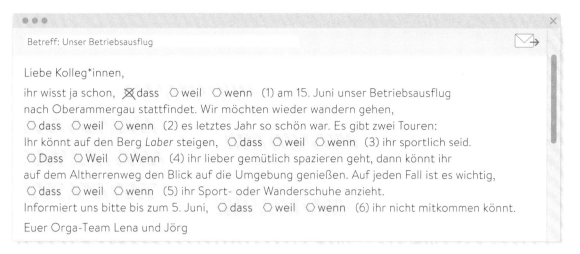

Betreff: Unser Betriebsausflug

Liebe Kolleg*innen,

ihr wisst ja schon, ☒ dass ○ weil ○ wenn (1) am 15. Juni unser Betriebsausflug nach Oberammergau stattfindet. Wir möchten wieder wandern gehen, ○ dass ○ weil ○ wenn (2) es letztes Jahr so schön war. Es gibt zwei Touren: Ihr könnt auf den Berg *Laber* steigen, ○ dass ○ weil ○ wenn (3) ihr sportlich seid. ○ Dass ○ Weil ○ Wenn (4) ihr lieber gemütlich spazieren geht, dann könnt ihr auf dem Altherrenweg den Blick auf die Umgebung genießen. Auf jeden Fall ist es wichtig, ○ dass ○ weil ○ wenn (5) ihr Sport- oder Wanderschuhe anzieht. Informiert uns bitte bis zum 5. Juni, ○ dass ○ weil ○ wenn (6) ihr nicht mitkommen könnt.

Euer Orga-Team Lena und Jörg

b Eine Kollegin hat die E-Mail in a nicht gelesen, weil sie im Urlaub ist. Schicken Sie ihr eine Sprachnachricht und erzählen Sie: Was ist wichtig?

[Du hast die E-Mail über den Betriebsausflug nicht gelesen, oder? Also wir fahren am ... nach ...]

9 Satzmelodie in Haupt- und Nebensatz KB 5 AUSSPRACHE

2 ◀) 11 a Hören Sie und ergänzen Sie ↘ oder →.

1 Wenn die Mitarbeiter gestresst sind →, können sie nicht gut arbeiten. ....

2 Es wundert mich ...., dass Unternehmen nicht mehr für das Betriebsklima tun. ....

3 Manche Unternehmen bieten Massagen im Büro an ...., weil das gegen Stress hilft. ....

4 Mitarbeiter gehen nicht gern in die Kantine ...., wenn das Essen nicht schmeckt. ....

b Hören Sie noch einmal und sprechen Sie nach.

10 Partneraufgabe: Wie kann man das Betriebsklima verbessern? W K KB 8 SCHREIBEN

a Lesen Sie die Nachricht von Ihrer Personalabteilung. Machen Sie Notizen: Wählen Sie die Idee vom Notizzettel oder suchen Sie eine eigene Idee. Schicken Sie Ihrer Partnerin / Ihrem Partner eine E-Mail mit Ihrem Vorschlag.

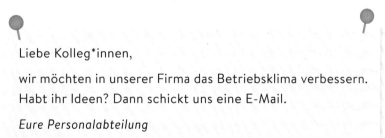

Liebe Kolleg*innen,

wir möchten in unserer Firma das Betriebsklima verbessern. Habt ihr Ideen? Dann schickt uns eine E-Mail.

Eure Personalabteilung

Idee? Band gründen
Wer? Mitarbeiter*innen
Was? Instrumente spielen ...
Wie oft? regelmäßig üben

b Ihre Partnerin / Ihr Partner kommentiert Ihren Vorschlag in a.

AW: Ideen für ein besseres Betriebsklima

Liebe(r) ...,

Ich finde es toll / wichtig, wenn ... Bei uns in der Firma gibt es das ...

Nicht schon wieder!

1   Markieren Sie noch fünf Verben und ordnen Sie zu. Ⓦ KB 2

hängenwolegenapstehensuhängenqxstellenpiliegen

 A   B   C   D   E   F

hängen _____   _____   _____   _____   _____

2   Das Bild von Bastis Mutter Ⓦ Ⓖ 🔍 KB 2

a   Wohin mit dem Bild? Pat probiert unterschiedliche Orte aus
und schickt Basti Nachrichten. Ordnen Sie zu.

~~hänge~~   liegt   stelle   lege   steht   hängt

Ich *hänge* (1) das Bild
an die Wand.

Das Bild _____ (2)
jetzt an der Wand. 😲

Ich _____ (3) das
Bild hinter den Schrank.

Das Bild _____ (4)
jetzt hinter dem Schrank.

Ich _____ (5) das
Bild unter das Bett. 🙄

Das Bild _____ (6)
jetzt unter dem Bett. 😊

b   Lesen Sie die Nachrichten in a noch einmal und unterstreichen Sie
Orte mit Akkusativ und Orte mit Dativ. Kreuzen Sie dann an.

	Wohin?	Wo?
liegen / stehen / hängen / sein + Präposition + Dativ	◯	◯
legen / stellen / hängen + Präposition + Akkusativ	◯	◯

❗ Wechselpräpositionen:
Erinnern Sie sich?
*An, auf, hinter, in, neben,
über, unter, vor, zwischen*
können mit Dativ oder
mit Akkusativ stehen.

3 Was passt? Kreuzen Sie an. G KB 2

- ○ Tom, wo ist denn nur der Autoschlüssel?
- ▫ Nicht schon wieder! Hast du ihn nicht
  ☒ in den ○ im Flur (1) gehängt?
- ○ Nein, und ich habe ihn auch nicht ○ auf den ○ auf dem (2)
  Tisch gelegt.
- ▫ Manchmal legst du ihn auch ○ ins ○ im (3) Regal!
- ○ Ja, aber ○ ins ○ im (4) Regal ist er auch nicht.
- ▫ Ich weiß es! Er liegt sicher ○ unter den ○ unter dem (5) Sofa.
- ○ Haha. Hast du ihn vielleicht? Schau doch bitte nochmal!
- ▫ Ups. Tut mir leid. Er ist ○ in meine ○ in meiner (6) Tasche.

> in dem → im
> in das → ins

4 Wo ist denn nur ... . G KB 2

a Schreiben Sie vier Gespräche.

1
2
3
4

1. ○ Wo ist denn nur mein Fahrrad?
   ▫ Du stellst es doch immer in den Garten.
   ○ Ja, aber im Garten steht es nicht.

b Wohin *stellen / legen / hängen* Sie die Dinge aus a meistens? Schreiben Sie.

➕ NOCH MEHR?

Seite 102

1. Mein Fahrrad stelle ich meistens ...

5 Der Konsonant *r* KB 2 ─────────────────── **AUSSPRACHE**

2 ◀)) **a** Wie spricht man den Konsonanten *r*? Hören Sie und
12 unterstreichen Sie [r] und [ɐ].

1 hinter den Schrank
2 vor das Regal
3 unter den Schreibtisch
4 über den Kühlschrank

> Wort- und Silben**anfang**, nach
> Konsonanten (*b, d, f, g ...*):
> 👂 „r" z. B. *Schrank*
> Wort- und Silben**ende**:
> 👂 „ɐ" z. B. *hinter*

b Hören Sie noch einmal und sprechen Sie nach.

2 ◀)) **c** Hören Sie das Gedicht und sprechen Sie nach.
13

> *Opa Ziche und Bruno, sein Hund –*
> *freitags räumen sie auf, ist das für Brunos Ohren*
> *denn gesund?*
> *Der Staubsauger ist schrecklich laut und gar nicht nett.*
> *Ruhe findet Bruno nur unter dem Bett.*

6 In der Bürogemeinschaft Ⓦ Ⓖ KB 3

a Anton hat aufgeräumt. Was gibt es im Büro? Ordnen Sie zu.

⬡ ◆ Heft

⬡ ◆ Pflanze

⬡ ◆ Ordner

⬡ ◆ Schere

⬡ ◆ Lautsprecher

⬡ ◆ Whiteboard

⬡ ◆ Plakat

① ◆ Regenschirm

⬡ ◆ Schreibblock

⬡ ◆ Papierkorb

⬡ ◆ Radiergummi

b Anton ist nicht da und seine Kollegen finden nichts wieder. Was antworten sie?
Sehen Sie das Bild in **a** an und schreiben Sie. Verwenden Sie immer zwei Verben.

~~gehängt~~ ~~gelegt~~ gelegt gestellt gestellt ~~hängen~~ ~~liegen~~ liegen stehen stehen gestellt stehen

1 ○ Wo ist mein Regenschirm?

2 ◻ Ich kann meine Schere nicht finden.

3 ○ Wo sind meine Plakate?

4 ◻ Wo ist denn meine Pflanze?

5 ○ Ich kann meinen Schreibblock nicht finden.

6 ◻ Und wo steht mein Papierkorb jetzt?

> 1. Hat Anton deinen Regenschirm vielleicht an die Garderobe gehängt?
>   Dort hängt ein Regenschirm.
> 2. Hat Anton deine Schere vielleicht in die Schachtel gelegt? Da liegt …

7 Finden Sie noch sieben Verben und ergänzen Sie in der richtigen Form. Ⓦ KB 4

abschneiden|auslachenessenguckenlaufenliebenriechenzählen

> ●●●   www.leute-von-heute.ch   ✕
>
> ### *Etwas verrückt, aber nicht allein*   Neueste Beiträge veröffentlicht im Mai
>
> <u>Jo</u> Ich _____ (1) Spiegeleier immer von außen nach innen. Zuerst _schneide_ ich
> das Eiweiß _ab_ (2) und dann esse ich das Eiweiß komplett auf.
>
> <u>Li</u> Ohne Treppenhausjoggen geht's nicht: Immer schnell die Stufen rauf und wieder runter
> _____ (3).
>
> <u>Su</u> Hilfe! Mein Sohn sitzt oft an der Straße und _____ (4) alle Autos: eins, zwei, drei, …
> Die Leute _____ (5) komisch und _____ ihn _____ (6).
>
> <u>Em</u> Ich _____ (7) den Geruch von Blumen und muss in der Blumenhandlung an allen
> Blumen _____ (8). Meine Blumenhändlerin kennt das schon.

8 Gewohnheiten Ⓚ KB 5

a Welche Gewohnheiten hat Fridoline? Verbinden Sie.

1 Sie sortiert immer alles,

2 Immer wenn sie Spaghetti isst,

3 Sie kontrolliert immer den Herd,

4 Jedes Mal, wenn sie
länger Bahn fährt,

a schneidet sie sie zuerst klein.

b wenn sie die Wohnung verlässt.

c hört sie ein neues Hörbuch.

d auch Gummibärchen
und Briefmarken.

b Welche Gewohnheiten hat Fridolin? Schreiben Sie.

1 Serie spannend sein → eine Zigarette rauchen

2 müde sein → nicht zum Sport gehen

3 Nüsse essen → Serien schauen

1. Immer wenn die Serie spannend ist, raucht ...
2. Jedes Mal, wenn er ...
3. Er muss abends immer ...

c Gewohnheiten: Was sagen Sie? Ordnen Sie zu.

~~Wie süß! Aber warum nicht?!~~   Das geht mir auch so.   Das kenne ich. Das mache ich auch oft.

Echt? Witzig!   Das mache ich nie. Aber (eine) gute Idee!

Wie ungewöhnlich! Aber warum nicht?!   Bei mir ist das ähnlich.

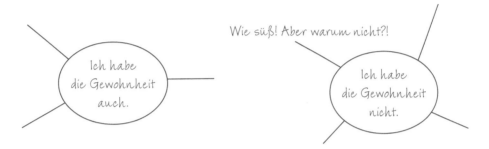

Wie süß! Aber warum nicht?!

Ich habe die Gewohnheit auch.

Ich habe die Gewohnheit nicht.

9 **Partneraufgabe: So starte ich samstags in den Tag.** K KB 5 ━━━━━━ SCHREIBEN

a Was machen Sie am Samstagvormittag? Machen Sie Notizen und schreiben Sie dann eine Textnachricht an Ihre Partnerin / Ihren Partner.

Morgens mache ich immer Yoga. Dann spiele ich Gitarre. Danach ... Erst dann ...

b Antworten Sie auf die Textnachricht in **a**. Benutzen Sie die Reaktionen aus **8c**.

Morgens schon Gitarre spielen! Wie ungewöhnlich! Aber warum nicht?! Abends ist man ja oft viel zu müde.

10 **Emmanuelas Blog** K KB 5 ━━━━━━ SPRECHEN

Lesen Sie den Blog im Kursbuch auf Seite 55, Aufgabe 4a. Wählen Sie eine Person.
Was genau macht sie immer? Wie finden Sie das? Machen Sie Notizen.
Schicken Sie dann eine Sprachnachricht an eine Freundin und erzählen Sie.

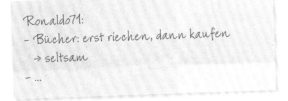

Ronaldo71:
- Bücher: erst riechen, dann kaufen
  → seltsam
- ...

▶ ━━━━━━●━━━━━━

[Ich habe im Internet von Gewohnheiten im Alltag gelesen. Eine Person liebt Bücher und ist oft in ...
Immer wenn er ein Buch kauft, dann ...
Das finde ich ziemlich seltsam. Und du? Bin schon gespannt!]

1 Finden Sie noch 14 Wörter und ordnen Sie mit Artikel zu.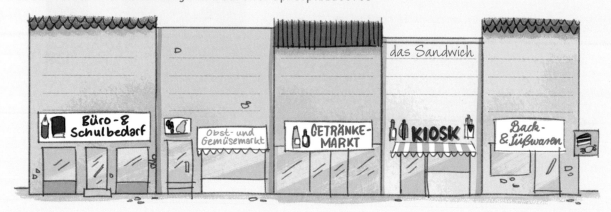

sandwich|birnemarmorkuchenradiergummiheftbananelimonadebratwurst
ordnerbiermineralwassergummibärchenapfelpizzatorte

Büro-& Schulbedarf
Obst- und Gemüsemarkt
GETRÄNKE-MARKT
KIOSK
Back- & Süßwaren
das Sandwich

2 Was passt nicht? Streichen Sie durch. Ⓦ

a **Arbeitgeber:**   ◆ Firma | ◆ Betrieb | ◆ Unternehmen | ◆ Whiteboard

b **Personal:**   ◆ Angestellte | ◆ Stufe | ◆ Auszubildende | ◆ Arbeitnehmer

c **Abteilungen:**   ◆ Marketing | ◆ IT | ◆ Personalchef | ◆ Produktion

d **Kantine:**   ◆ Kasse | ◆ EC-Karte | ◆ Buchhandlung | ◆ Spaghetti

e **Ruheraum:**   ◆ Massagesessel | ◆ Pause | ◆ Briefmarke | ◆ Kissen

3 Verbinden Sie. Ⓦ Ⓚ

Ergänzen Sie dann die Zahlen und antworten Sie.

a Was darf's sein?

b Möchten Sie auch
   etwas trinken?

c Sonst noch etwas?

d Zahlen Sie zusammen?

e Zahlen Sie bar?

1 Ja, zwei Cola bitte.

2 Nein, mit EC-Karte.

3 Nein, getrennt.

4 Ja, ein Stück Apfelkuchen bitte.

5 Wir hätten gern eine
   Pizza Salami.

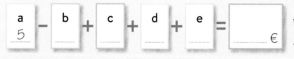

a 5 − b ___ + c ___ + d ___ + e ___ = ___ €

Was müssen Pia und Pepe zahlen?
→ Sie müssen _____ € bezahlen.

4 Frau Ott und Azubi Elias planen den Abschied von einer Kollegin. Ⓖ

Ergänzen Sie die Artikel und *hängen, legen, liegen, stehen, stellen* in der richtigen Form.

○ Elias, *häng* (1) bitte das Plakat noch an *die* (2) Wand.

◻ Das Plakat _____ (3) doch schon an _____ (4) Wand.

○ Ach so. Dann _____ (5) bitte den Kuchen
   auf _____ (6) Tisch.

◻ Der Kuchen _____ (7) aber schon auf _____ (8) Tisch.

○ Gut. Dann _____ (9) den Geldumschlag bitte noch
   neben _____ (10) Kuchen.

◻ Aber der Umschlag _____ (11) doch schon neben
   _____ (12) Kuchen.

○ Super, dann kannst du jetzt eine Pause machen.

5 Audiotraining: *Ich backe einen Kuchen, wenn ...* G K

2 ◀))
14

Hören Sie und verbinden Sie die Sätze mit *wenn*.

6 Ordnen Sie die Bilder zu. Schreiben Sie dann die Geschichte weiter. G

A  B C  D  E  F

⬡ Pizza essen ⬡ müde werden ⬡ eine Pause machen ⬡ Sonne scheinen (A) ⬡ eine Rad-tour machen ⬡ viel Hunger haben

Wenn die Sonne scheint, mache ich eine Radtour. Immer wenn ich eine Radtour mache, ...

7 Was passt? Ergänzen Sie. K

Es ist schade   Es wundert mich   ~~Ich finde es toll~~   ich fürchte   Ich hoffe

Marie
Ich finde es toll (1), dass wir im Betrieb einen Kindergarten haben. Am Nachmittag hole ich meine Tochter dort ab und wir gehen zusammen nach Hause.

Jan
Unsere Firma ist sehr klein.
_____ (2), dass wir keine Kantine haben. Wir müssen unser Mittagessen mitbringen oder in der Pause zum Kiosk gehen.

Alex
Ich fange morgen in der Marketingabteilung an. _____ (3), dass die Kollegen dort nett sind.

Philipp
Mein Chef ist fast immer gestresst.
_____ (4), dass er heute so entspannt ist.

Deen
Ich komme aus Syrien und möchte in einem IT-Unternehmen arbeiten. Aber _____ (5), dass ich zu wenig Berufserfahrung habe.

8 Audiotraining: *Ich finde es schade, dass ...* G K

2 ◀))
15

Hören Sie und verbinden Sie die Sätze mit *dass*.

9 Im Café ———————————————————————————— SPRECHEN

2 ◀))
16

Sie möchten mit einer Freundin in einem Café etwas bestellen. Ihre Freundin versteht kein Deutsch. Am Nachbartisch spricht der Kellner mit einer Frau. Hören Sie und machen Sie Notizen auf der Speisekarte. Erzählen Sie in Ihrer Sprache: Was gibt es heute nicht? Was empfiehlt der Kellner? Was ist jetzt teurer?

Heute im Angebot:		Getränke:	
~~Erdbeertorte~~	2,80 €	Kaffee	2,20 €
Birnenkuchen mit Sahne	2,60 €	Kakao	2,50 €
Pfannkuchen mit Bananen	2,60 €	Saftschorle	2,00 €
Marmorkuchen	2,40 €	Mineralwasser	2,00 €

1 **Lesen Sie die Texte A–C und die Aufgaben 1–7.** LESEN

Was ist richtig? Kreuzen Sie an.

---

www.mein-arbeitgeber.eu ✕

A Auto Asam GmbH ☆☆☆☆☆

Mitarbeiter A – Tipp für Azubis

Ich bin Auszubildende im Autohaus Asam. Es gibt hier immer zwei oder drei Azubis. Das gefällt mir. Ich war schon in vielen Abteilungen und finde das Betriebsklima prima. Im Moment bin ich im Marketing, das ist spannend. Ich gehe jeden Tag in die Kantine, weil das Essen dort wirklich lecker ist. Nur schade, dass ich so wenig verdiene.

B Holz Baumüller ☆☆☆☆☆

Mitarbeiter B – Faire Bedingungen

Meine Arbeit ist sehr anstrengend, aber ich verdiene recht viel Geld. Zum Betriebsklima bei uns kann ich nichts sagen. Ich bin meistens allein im Lager. Dort verbringe ich auch meine Pausen, deshalb habe ich keinen Kontakt zu anderen. Nur manchmal hilft mir unser Azubi. Das Essen in der Kantine ist ziemlich schlecht. Da koche ich lieber zu Hause und bringe das Essen in die Arbeit mit.

C Inter-Werbung ☆☆☆☆☆

Mitarbeiter C – Work-Life-Balance passt

Ich arbeite vier Tage, halb-halb. Also zwei Tage im Büro und zwei Tage im Homeoffice. Das funktioniert super. Weil ich in der IT bin, habe ich viel Kontakt mit den Kolleg_innen aus anderen Abteilungen. Wir arbeiten echt gut zusammen. Vor ein paar Wochen hat das Unternehmen einen Ruheraum mit Massagesesseln eingerichtet, das finde ich toll! Da gehe ich mittags oft hin, wenn ich in der Arbeit bin.

Mitarbeiter	A	B	C
1 ... findet es gut, dass sie als Azubi nicht allein ist.	⊠	○	○
2 ... arbeitet auch zu Hause.	○	○	○
3 ... wechselt immer wieder die Abteilung.	○	○	○
4 ... nutzt die Kantine nicht.	○	○	○
5 ... bekommt nicht viel Geld.	○	○	○
6 ... arbeitet sehr oft ohne Kollegen.	○	○	○
7 ... gefällt, dass die Firma Möglichkeiten für eine ruhige Pause anbietet.	○	○	○

_____ / 6 Punkte

2 🔊 17 **2** **Wo findet man die Personen?** HÖREN

Hören Sie das Gespräch zweimal und ordnen Sie zu. Ein Buchstabe ist zu viel.

Wen?	1	2	3	4	5	6	7
	Happel, Personalchefin	Jakobs, Azubi	Mack, IT-Spezialistin	Müller, Chefin	Jan, Praktikant	Hardin, Lagerchef	Üngür, Azubi
Wo?	d	___	___	___	___	___	___

a hinter der Werkstatt   e in der Marketing-Abteilung

b rechts neben der Information   f in der Produktion

c hinter dem Konferenzraum   g hinter der Kantine

d im ersten Stock   h neben der Teeküche

_____ / 6 Punkte

2 📣 18

3 Über Gewohnheiten sprechen

Lesen Sie die Fragen A–F und machen Sie Notizen. Hören Sie dann und antworten Sie.

A Wenn ich nachts nicht schlafen kann, trinke ich ein Glas Milch. Was machst du?

D Ich singe immer laut, wenn ich koche. Wann singst du?

B Oft gehe ich aus dem Haus und muss noch einmal zurück: Ich habe immer Angst, dass ich meinen Herd nicht ausgeschaltet habe. Kennst du das?

E Wenn ich einen Krimi lese, fange ich mit dem Ende an. Und du?

C Immer wenn ich mir die Zähne putze, stehe ich auf einem Bein. Du auch?

F Ich lebe gesund; ich benutze mein Handy nur noch eine Stunde am Tag. Wie machst du das?

A nicht schlafen;
Milch trinken – ich auch!
aber: essen

Das geht mir ähnlich ... Immer wenn ... Das mache ich ...

.... / 6 Punkte

4 Lesen Sie den Blogbeitrag und schreiben Sie etwas zu drei Punkten.

● ● ●   www.Deutschlerner-Blog.com   ✕

Ich war die letzten drei Monate in Köln, das war super. Ich habe viel erlebt, manche Sachen waren neu für mich, manche auch sehr ungewöhnlich. Also ...

- Das Brot in Deutschland ist fantastisch, es gibt so viele Sorten. Und es riecht einfach lecker.
- Toll finde ich auch, dass man überall vegan essen kann. Das hat mich sehr überrascht.
- Komisch ist, dass man Wasser in einem Restaurant extra bestellen und auch bezahlen muss. Das gibt es in meinem Land nicht.
- Viele deutsche Freunde bezahlen ihre Rechnungen in bar, wie altmodisch! Das ist bei uns unüblich.
- Es hat mich auch sehr gewundert, dass viele Menschen in Restaurants getrennt bezahlen. Wir zahlen meistens zusammen. Das finde ich besser.
- Und wisst ihr was? Abendessen gibt es meistens schon früh, so um 19 Uhr. Wir essen zu Hause nie vor 21 Uhr ...

Wie findet ihr das? Und wie ist das bei euch? Ich freue mich auf eure Antworten und bin schon gespannt.

Ich ....

....

....

Brot in Deutschland = toll
in Kroatien → viele Sorten
Weißbrot ♡ lecker !!!
vegan essen ...

.... / 6 Punkte

☺ 20 – 24 Punkte
😐 13 – 19 Punkte
☹ 0 – 12 Punkte

www.berufe-netz.com

LEYLA KARA

107 Kontakte

Elisabeth-Krankenhaus, Krankenschwester

Erfurt, Deutschland

Über mich: Ich habe meinen Traumberuf gefunden: Krankenschwester. Die Arbeit ist nie langweilig: Patienten pflegen, mit Ärztinnen und Ärzten zusammenarbeiten, organisieren, Büroarbeiten machen. Klar, manchmal sind die Arbeitstage lang und stressig, aber ich finde das gar nicht schlimm.

1   Lesen Sie Leyla Karas Profil und besprechen Sie die Fragen zu zweit.

| Wo arbeitet Leyla und welche Aufgaben hat sie? | Was denken Sie: Ist Krankenschwester wirklich ein Traumberuf? Warum (nicht)? | Was könnte Leyla gegen den Stress in der Arbeit machen? Machen Sie Vorschläge. |

2   Hilfe gegen Stress in der Arbeit

a   Lesen Sie die E-Mail. Welche Betreffzeile 1–3 passt? Kreuzen Sie an.

1   ○ Informationen über Patienten   2   ○ Fortbildungsangebote für Mitarbeiter*innen

3   ○ Ausbildung zur Pflegefachkraft

Betreff:

Liebe Mitarbeiter*innen,

wir freuen uns, dass wir auch in diesem Jahr Fortbildungen für unsere Pflegefachkräfte anbieten können. Wenn Sie gern etwas Neues für den Beruf lernen möchten, können Sie aus 20 Kursen zu Themen wie „Stressmanagement", „Kommunikation" etc. einen aussuchen (s. Anhang).
Alle Fortbildungen sind für Sie kostenlos und zählen als Arbeitszeit.
Wollen Sie eine Fortbildung machen? Dann schicken Sie mir bis zum 25. August eine E-Mail.

Vielen Dank und herzliche Grüße
Karin Scheffler
Personalabteilung

b   Lesen Sie die E-Mail in **a** noch einmal. Sind die Sätze richtig oder falsch? Kreuzen Sie an.

	richtig	falsch
1 Fortbildungen sind Kurse für Auszubildende ohne Berufserfahrung.	○	☒
2 Man kann zwischen mehreren Kursen wählen.	○	○
3 Alle Pflegefachkräfte sollen im August eine Fortbildung machen.	○	○
4 Pflegefachkräfte besuchen die Kurse in ihrer Freizeit und bezahlen diese selbst.	○	○

3   Haben Sie schon einmal eine Fortbildung gemacht? Erzählen Sie.

| Wo? | | Wie lange? | | Themen? |

4 Welchen Kurs machen wir?

a Lesen Sie die zwei Fortbildungsangebote. Welche Überschrift passt? Ordnen Sie zu.

1 Wochenendkurs: Stress-Management   **2** Wie manage ich Stress? 10 Tipps und Tricks

A
⬡ *In dieser Fortbildung bekommen Sie montags und mittwochs von 18:00 bis 19:30 Uhr viele Ideen gegen Stress im Beruf. Los geht es am 10. Oktober. Kursdauer: 5 Wochen, Teilnehmer: bis zu 20 Personen*

B
⬡ Im Beruf immer ruhig und entspannt bleiben. Geht das? Die Antwort ist ganz klar „Ja". Aber wie? Das lernen Sie in diesem Kurs. Die Fortbildung findet an zwei Tagen statt: am 20. / 21. Oktober (Sa. / So.). Maximal 8 Personen pro Gruppe.

b Markieren Sie die Antworten auf die Fragen 1–3 in **a**. Sprechen Sie dann mit Ihrer Partnerin / Ihrem Partner: Welchen Kurs würden Sie Leyla empfehlen? Warum?

1 Wann findet der Kurs statt?
2 Wie lange dauert er?
3 Wie viele Personen können teilnehmen?

> An ihrer Stelle würde ich Kurs A / B besuchen, weil …

2 ◀)) 19 **c** Welchen Kurs wählen Leyla und ihr Kollege? Hören Sie und vergleichen Sie mit Ihren Empfehlungen in **b**.

d Hören Sie das Gespräch noch einmal. Was sagen Leyla und Vincent? Kreuzen Sie an. Lesen Sie dann das Gespräch mit Ihrer Partnerin / Ihrem Partner.

- o Der Kurs „Stress-Management" findet am vorletzten Wochenende im Oktober statt …
- ▫ ○ Das gefällt mir. ⊠ Das finde ich gut. (1) Da haben wir doch beide frei.
  ○ Was meinst du? ○ Wie findest du das? (2)
- o ○ Ich weiß nicht. ○ Ich bin nicht sicher. (3) Der Kurs ist so kurz – nur ein Wochenende. Da lernt man doch nicht viel. Die andere Fortbildung dauert fünf Wochen.
  ○ Das gefällt mir besser. ○ Das finde ich besser. (4)
- ▫ Ja, aber da sind bis zu 20 Teilnehmer im Kurs.
  ○ Das finde ich nicht so gut. ○ Das gefällt mir nicht so gut. (5)
  Im Kurs „Stress-Management" ist die Gruppe klein: Maximal acht Personen.

5 Welchen Kurs möchten Sie machen?

Arbeiten Sie zu dritt. Ihre Firma möchte, dass sich Ihr Team besser kennenlernt.
Lesen Sie die drei Kursbeschreibungen, sprechen Sie und wählen Sie gemeinsam einen Kurs.

GESUND, FIT UND GLÜCKLICH MIT PILATES:

30 Minuten Intensivtraining für Anfänger und Fortgeschrittene.

Di und Do, 18:30–19:00 Uhr
Dauer: 10 Wochen
Max. 12 Teilnehmer*innen

EINFACH LECKER!

3 Gerichte aus Deutschland, Österreich und der Schweiz.

Kochkurs mit Fernsehköchin Sarah Bremer.

Sa, 12:00–17:00 Uhr
Gruppengröße:
10 bis 15 Personen

Draußen sein und Spaß haben – beim Mini-Kletterkurs!

Auch Erwachsene können klettern lernen. Unser Trainer zeigt Ihnen, wie es geht. Wo? Hier bei uns im Kletterwald. Wann? Freitag, 15–18 Uhr 8 Personen pro Gruppe

> Wir könnten den Kochkurs machen. Wie findet ihr das?

> Der Kochkurs ist an einem Samstag. Das finde ich nicht so gut. Was meint ihr?

1 Vorbereitung ──────────────────────────── LESEN

a *Clean Eating:* Lesen Sie schnell die Überschrift und den Anfang des Artikels.
Überlegen Sie: Was ist das Thema? Kreuzen Sie an.

1 ◯ Essen und Trinken	2 ◯ Leben der Großmutter	3 ◯ Wie man Erfolg hat

CLEAN EATING – ESSEN WIE BEI GROSSMUTTER ANNI

Chef-Köchin Beatrice Luc hat ihr erstes Buch geschrieben mit dem Titel „*Clean Eating* – natürlich und gesund essen. 100 Rezepte für Hauptgerichte". Außerdem gibt es super Tipps für Getränke zum Selbermachen. Schon jetzt ist das Buch ein Erfolg. Für den Herbst plant Luc das nächste Buch zum Thema „Leckere Desserts ohne Zucker".

b Lesen Sie die Aufgaben 1 und 2. Welche Informationen sind wichtig? Markieren Sie wie im Beispiel. Lesen Sie dann noch einmal den Text in **a**. Wo finden Sie dort die Informationen? Markieren Sie im Text.

1 Im Buch „*Clean Eating*" geht es um Rezepte für Torten und Nachspeisen.   Richtig | F̶a̶l̶s̶c̶h̶ (x)
2 Beatrice Luc hat schon zwei Bücher geschrieben.   Richtig | Falsch

c Vergleichen Sie die markierten Wörter in den Aufgaben und im Text und kreuzen Sie in **b** an: Richtig oder Falsch .

2 In der Prüfung

Lesen Sie noch einmal den Anfang des Artikels in **1a** und hier den Artikel weiter.
Lesen Sie dann die Aufgaben 1–5 und kreuzen Sie an: Richtig oder Falsch .

Clean Eating bedeutet übersetzt „sauber essen". Muss man also die Lebensmittel waschen? „Nein, darum geht es nicht. Das Essen soll frisch sein, aus der Natur kommen, das ist ‚clean'", so Luc. „Also wie früher – nur hat das keiner so genannt. Damals ist meine Omi Anni in den Garten gegangen, hat dort Kartoffeln und Karotten geholt und eine Suppe gekocht. Das war echt lecker! Und ganz anders als die Tütensuppen heute aus dem Supermarkt." Beim *Clean Eating* gibt es viel Obst, Gemüse, Salat, Reis, Kartoffeln, Nüsse oder Eier.

Manchmal sind auch Fleisch und Fisch erlaubt. Für Luc ist es wichtig, dass das Essen aus der Region kommt und zur Jahreszeit passt. „Also, Erdbeeren im Winter ... – das geht gar nicht." Im Buch beschreibt sie 100 Rezepte, die meisten davon sind vegetarisch. „Mit *Clean Eating* ist Kochen nicht kompliziert, sondern ganz einfach und macht Spaß", findet Luc. Und am wichtigsten ist natürlich, dass das Essen schmeckt. So wie früher bei Oma Anni. Seit dem 10. März kann man das Buch kaufen – aber nur online.

Beispiel

0 Beim *Clean Eating* muss man die Lebensmittel gut waschen.   Richtig | F̶a̶l̶s̶c̶h̶ (x)

1 Nur der Name ist neu, das Prinzip *Clean Eating* gibt es aber schon lange.   Richtig | Falsch
2 Man darf beim *Clean Eating* keinen Fisch essen.   Richtig | Falsch
3 Beatrice Luc findet, Erdbeeren kann man immer essen.   Richtig | Falsch
4 In Lucs Kochbuch gibt es nicht viele vegetarische Rezepte.   Richtig | Falsch
5 Man kann das Buch nur im Internet kaufen.   Richtig | Falsch

1 Vorbereitung   SCHREIBEN

a Lesen Sie die Kurznachrichten und ordnen Sie zu.

Bis Sonntag (1)   Hallo Bea, hallo Ricardo (2)   Liebe Grüße und bis heute Abend (3)   ~~Liebe Svenja (4)~~

Mit freundlichen Grüßen (5)   Sehr geehrte Damen und Herren (6)   ~~Viele Grüße (7)~~

Lieber Herr Müller,
entschuldigen Sie bitte, aber ich kann nächste
Woche am Dienstag nicht in die Arbeit kommen.
Ich habe eine Prüfung. _7_ (a) Metin Durmaz

> In einer Kurznachricht können
> Sie auch *LG* oder *VG* schreiben
> (Liebe Grüße / Viele Grüße).

●●●   ×

_____ (b),
ich habe eine E-Mail bekommen, dass Sie heute um 8 Uhr das Sofa liefern.
Können Sie auch um 12 Uhr kommen?
_____ (c) Lars Pauly

_____ (d),
wie geht es euch? Klappt es am Wochenende?
Wollen wir zusammen wie besprochen zum See fahren?
Ich freue mich auf euch. _____ (e). Mona

●●●   ×

_4_ (f),
es tut mir leid. Ich kann heute Abend erst um 20 Uhr zu dir kommen,
weil ich länger arbeiten muss. Passt das auch?
_____ (g) Irina

b Lesen Sie die Nachrichten. Markieren Sie: sich entschuldigen,
etwas begründen, neuen Ort / neue Uhrzeit vorschlagen.

1

Liebe Luisa,
ich kann leider nicht zu deiner Party kommen, denn ich habe
meinen Fuß gebrochen und bin bis Freitag im Krankenhaus.
Magst du mich am Samstag bei mir zu Hause besuchen?
Ich habe ja jetzt viel Zeit und würde mich freuen. LG Peter

2

Hi!
Entschuldigung, aber ich schaffe es nicht bis 13 Uhr, weil ich
die S-Bahn in die falsche Richtung genommen habe. Die nächste
fährt erst wieder in 20 Minuten. Können wir uns ein bisschen
später treffen? 14 Uhr vor dem Rathaus? Bis gleich, Jackie

c Schreiben Sie und verbinden Sie die Sätze mit *dass, denn* oder *weil*.

> **1**
>
> Lieber Sven,
> es tut mir leid. Ich komme später. Ich habe den Bus verpasst. (weil)
> Ich hoffe: Ich bin in einer Stunde bei euch. (dass)
> LG Carla

> 1. Lieber Sven, es tut
>   mir leid. Ich komme
>   später, weil ich den
>   Bus verpasst habe.
>   Ich hoffe, ...

> **2**
>
> Hi Esra!
> Ich kann heute nicht zum Sport kommen. Mein Sohn hat
> Geburtstag. (weil)
> Nächste Woche klappt es auch nicht. Ich muss arbeiten. (denn)
> VG Ronja

> **3**
>
> Liebe Mona,
> ich komme mit dem Taxi. Ich hatte eine Autopanne. (denn)
> Es tut mir leid. Ich bin nicht pünktlich. (dass)
> Bis später Tim

> ❗ Verbinden Sie die Sätze
> mit Wörtern wie *dass, denn,
> weil.* Das klingt besser.

2 In der Prüfung

Sie müssen am Abend arbeiten. Schreiben Sie eine Nachricht
an Ihren Freund Timor.

> · Entschuldigen Sie sich, dass Sie nicht mit ins Kino können.
> · Schreiben Sie, warum.
> · Schlagen Sie einen neuen Tag und eine neue Uhrzeit für
>   einen Kinobesuch vor.
> Schreiben Sie zu allen drei Punkten circa 20–30 Wörter.

> ❗ Lesen Sie Ihre Nachricht
> noch einmal. Haben Sie
> etwas zu allen drei Punkten
> geschrieben?
> Zählen Sie. Wie viele
> Wörter hat Ihre Nachricht?

1 Vorbereitung ━━━━━━━━━━━━━━━━━━━━━━━━━ HÖREN

a Lesen Sie zuerst die Frage. Markieren Sie wichtige Informationen.
Dann schauen Sie die Bilder an.

1 Dem Mann geht es nicht gut. Was hat er?

a  b  c

 b Hören Sie jetzt den Text. Welches Bild in **a** passt?
Kreuzen Sie an: a , b oder c .

> ❗ Hören Sie genau: Wer hat
> den Arm gebrochen? Der
> Mann oder sein Sohn? Sie
> können alle Krankheiten im
> Hörtext hören. Aber nur
> eine Antwort ist richtig.

2 ◀)) **2 In der Prüfung**
21–25

Sie hören fünf kurze Gespräche. Sie hören jeden Text einmal. Wählen Sie für
die Aufgaben 1–5 die richtige Lösung [a], [b] oder [c].

1 Was hat der Mann zu Mittag gegessen?

2 Wo ist das Bild?

3 Was funktioniert nicht mehr?

4 Was bietet die Firma an?

5 Was fehlt bei der Bestellung?

Auf keinen Fall!
Ohne mich!

1   Unterwegs in Wien. Ordnen Sie die Verkehrsmittel zu. Ⓦ KB 1

B̶u̶s̶   E-Scooter   Leihrad   Mietwagen   Straßenbahn   U-Bahn

www.wien-ist-super.at/unterwegs-in-wien   ✕

Das Verkehrsnetz in Wien ist ein Traum: Fünf U-Bahn-, 28 Straßenbahn- und 131 Autobuslinien fahren

auf 1150 km durch die Stadt. So findet man immer einen *Bus* (1), eine _____ (2)

oder eine _____ (3). Unser Tipp für Besucher: Auf 1 379 km könnt ihr Wien

mit einem _____ (4) kennenlernen. Noch mehr Spaß macht eine Tour mit

dem _____ (5)! Für Ausflüge in die Umgebung leiht ihr einfach einen

_____ (6).

2   Jemanden überreden Ⓚ KB 4

a   Lesen Sie und unterstreichen Sie die Sätze 1–10: Wie kann ich jemanden <u>überreden</u>, etwas <u>ablehnen</u> oder jemandem <u>zustimmen</u>?

○ Was sollen wir nächsten Sonntag machen?

▢ Wir könnten zum Klippenspringen an den Vierwaldstättersee fahren.

○ <u>Auf keinen Fall! Ohne mich!</u> (1)

▢ <u>Warum denn nicht? Das ist total cool.</u> (2)

○ <u>Für dich vielleicht. Aber für mich ist das auch nichts.</u> (3)

▢ <u>Ich verspreche euch, das macht wirklich Spaß!</u> (4)

▢ <u>Muss das sein? Das ist doch gefährlich.</u> (5)

▢ <u>Ich bin sicher, das funktioniert.</u> (6) Ich bin schon oft gesprungen.

○ <u>Also gut, von mir aus. Wir probieren es.</u> (7)

○ <u>Na gut, ich komme auch mit.</u> (8) Aber ich will nicht springen. Ich habe zu viel Angst.

▢ Und du, Sina? Du warst doch auch schon Bungeespringen. <u>Das gefällt dir bestimmt.</u> (9)

▢ <u>Schon gut, ich bin ja einverstanden.</u> (10)

b   Ergänzen Sie das Gespräch von Svenja und Helge. Die Sätze in a helfen Ihnen.

○ Ich möchte dieses Jahr mit dem Zug in den Sommerurlaub fahren.

▢ Auf *keinen Fall* . (1) Ohne mich!

○ _____? (2) Endlich mal ohne Stau in den Urlaub!

▢ Stimmt, aber wir haben immer viel Gepäck. Da brauchen wir das Auto definitiv.

○ _____, das geht auch ohne Auto. (3)
   Wir brauchen gar nicht so viel Gepäck.

▢ Hm, ja vielleicht hast du recht.

○ _____ dir, das wird ganz entspannt. (4)
   Das gefällt _____. (5)

▢ Schon _____, ich bin ja _____. (6)

3 Partneraufgabe: Das gefällt dir sicher! Ⓚ KB 4 ⸺

Wählen Sie ein Thema. Schicken Sie eine Sprachnachricht an Ihre Partnerin /
Ihren Partner. Sie / Er antwortet. Wer hat die besseren Argumente?

> mit dem Auto oder dem Fahrrad ans Meer fahren?

> eine Städtetour mit dem E-Scooter oder zu Fuß?

schnell gesund frische Luft günstig mehr sehen können

gut für die Umwelt Bewegung Zeit am Strand …

▶ ───────●──────
[Ich möchte am Sonntag … Das ist …]

▶ ─●──────────
[Auf keinen Fall! Ohne mich!]

---

4 Im WG-Chat Ⓦ Ⓖ 🔍 KB 5

a Ergänzen Sie *Ärztin, Bäcker, Freundin, Gymnastik* und *Hause* (2x).

1
Wo seid ihr? Bin zu _____ 🏠
und hab' gekocht. Das Essen ist gleich fertig.

2
Sorry, bin noch bei
der _____ 😷.

3
Herrlich! Komm gerade von der
_____ 🙂 und bin endlich auf
dem Heimweg. Muss nur noch kurz zum
_____ 🥨.

4
Ich muss noch zu einer *Freundin* ❤
und komme leider erst später nach
_____ 🏠.

> nach Hause → 🏠 ❗
> zu Hause 🏠
> von zu Hause 🏠 →

b Lesen Sie die Nachrichten in **a** noch einmal und ergänzen Sie die Tabelle.

	Woher? *von* + Dativ	Wo? *bei* + Dativ	Wohin? *zu* + Dativ
Personen	◆ vom Bäcker	beim Bäcker	_____ Bäcker
	◆ von der Ärztin	*bei der* Ärztin	zur Ärztin
	◆ von einer Freundin	bei einer Freundin	_____ Freundin
	◆ von meinen Eltern	bei meinen Eltern	zu meinen Eltern
Aktivitäten	◆ vom Sport	beim Sport	zum Sport
	◆ vom Einkaufen	beim Einkaufen	zum Einkaufen
	◆ _____ Gymnastik	bei der Gymnastik	zur Gymnastik

5 Was passt? Kreuzen Sie an. Ⓖ KB 5

a ○ Kommst du mit ○ beim ☒ zum Schwimmen?

◻ Heute nicht. Ich komme gerade ○ von der ○ zu der Aquafitness. Morgen?

b ○ Fahren wir morgen ○ zu ○ zum Lisa?

◻ Nein, morgen muss ich doch ○ zum ○ zur Arbeit!

c ○ Trinken wir einen Kaffee ○ beim ○ zum Bäcker?

◻ Ich bin auf dem Weg ○ bei einer ○ zu einer Freundin. Später, vielleicht?

○ Ja, gern. Melde dich, wenn du ○ von deinem ○ von deiner Freundin zurückkommst!

d ○ Kommst du heute Abend ○ vom ○ zum Essen ○ nach ○ zu Hause?

◻ Nein, ich bin ○ beim ○ zum Englischkurs und erst spät ○ zu ○ von zu Hause.

> **!** Namen von Personen, Firmen, …
> → <u>kein</u> Artikel, z. B. von / bei / zu Leo, Siemens …

6 Ottos GPS-Tracker Ⓖ KB 5

Sehen Sie die Karte an und ergänzen Sie *bei, zu, von* oder *nach* in der richtigen Form und den Artikel, wenn nötig.

Zuerst war Otto _____ Bank (1).

Dann war er _____ Bäcker (2).

Danach ist er _____ (3) Bäcker direkt _____ Fitnessstudio (4) gegangen. Aber er ist nie dort angekommen, denn er hatte Hunger und war *bei* „Best Burger" (5). Nach dem Essen war er müde und ist wieder _____ seiner Frau (6) _____ Hause (7) gegangen.

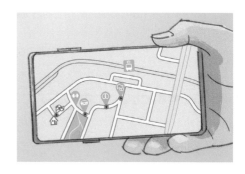

➕ **NOCH MEHR?**

Seite 103

7 Wer hat gestern Abend etwas beobachtet? Ⓦ KB 8 ——— SCHREIBEN

a Was passt? Sehen Sie das Bild an und ordnen Sie zu.

⬡ ① auf dem Bürgersteig gehen ⬡ auf der Fahrbahn weitergehen

⬡ in die Fußgängerzone laufen ⬡ an einem Lkw und einem Pkw vorbeigehen

⬡ den Radweg überqueren ⬡ über den Zebrastreifen laufen

b Was ist in **a** passiert? Schreiben Sie.

> 1. Ein Mann ist von rechts gekommen und auf dem Bürgersteig gegangen. Er ist …

8 **Was bedeuten die Schilder? Ergänzen Sie die fehlenden Vokale.** Ⓦ KB 8

A

A u sf a hrt

B

___ml___t___ng

C

Vorsicht
B____st__ll____

D

Achtung
St____!

9 **Konsonantencluster** KB 9 ───────────────────────── AUSSPRACHE

2 ◀)) 26 @ **a** Hören Sie. Sprechen Sie dann und sprechen Sie schneller und schneller.

1 Land – Straße – Land – Straße – Land – Straße …
2 Landstraße – Landstraße – Landstraße …
3 Wie lange dauern die Bauarbeiten auf der Landstraße?

2 ◀)) 27–30 **b** Hören Sie und sprechen Sie nach.

1 Bürger|steig – Radfahren ist auf dem Bürgersteig verboten!
2 Um|leitung – Folgen Sie der Umleitung!
3 Verkehrs|chaos – Totales Verkehrschaos!
4 Bundes|straße – Achtung! Tiere auf der Bundesstraße!

10 **Was bedeuten die Schilder? Ordnen Sie zu.** Ⓦ KB 9

Autobahn   ~~enden~~   fahren   folgen   regnet   überholen

A

B

C

D

Hier _endet_ die
Bundesstraße, die

beginnt.

Wenn es

_____ ,

muss man vorsichtig

_____ .

Man soll der
Umleitung

_____ .

Hier darf man nicht

_____ .

11 **Verkehrsnachrichten im Internet** Ⓚ KB 9 ───────────────── SPRECHEN

Ein Freund ist zu Ihnen unterwegs. Wählen Sie
eine Verkehrsnachricht und schicken Sie Ihrem
Freund eine Sprachnachricht.

● ● ●   www.verkehr.de/niedersachsen   ✕

⚠ A7 Hannover Richtung Kassel:
Zwischen Göttingen und Bad Hersfeld sind
10 Kilometer Stau.

⚠ Bundesstraße B4 Lüneburg Richtung Uelzen:
Hinter Lüneburg steht ein Lkw. Eine Fahrbahn kann
man nicht benutzen.

⚠ A27 Cuxhaven Richtung Bremen:
Zwischen Hagen und Uthlede sind in beiden Richtungen
Tiere auf der Fahrbahn.

▶ ───●──────────

[Hallo … , auf der …
Gute Fahrt! …!]

Da wäre ich jetzt auch gern mit dabei!

1 Ich hätte auch gern mal eine Auszeit. Ⓖ 🔍 KB 2

a Wunsch oder Realität? Lesen Sie und markieren Sie die Verben.

- Ich habe Urlaub.
- Oh! Ich hätte auch gern mal eine Auszeit.

- Ich schiebe gerade mein Rad auf einen Berg.
- Ich würde auch gern auf einen Berg steigen.

- Puh, ich bin oben. Die Aussicht ist super!
- Ach, da wäre ich jetzt auch gern!

- Und du?
- Ich sitze auf dem Sofa und faulenze.
- Ach, ich würde jetzt auch gern auf dem Sofa faulenzen.

b Lesen Sie die Sätze in a noch einmal.
Lesen Sie dann die Regel und kreuzen Sie an.

> ❗
> Bei ○ hätte / wäre ○ würde + gern
> steht ein zweites Verb am Ende.

2 Was würden die Personen gern machen? Ⓦ Ⓖ KB 2

a Was glaubt der Journalist? Kreuzen Sie an.

> 1
> Die Frau ☒ hätte ○ würde (1)
> lieber Urlaub. Sie ○ wäre ○ würde (2)
> gern am Strand. Vielleicht
> ○ wäre ○ würde (3) sie auch gern nach
> Paris oder in eine andere Stadt fliegen.

> 2
> Die Eltern ○ wären ○ würden (4)
> gern schon zu Hause. Sie
> ○ hätten ○ würden (5) gern weniger
> Gepäck dabei. Das Kind
> ○ wäre ○ hätte (6) am liebsten ein Eis.

b Lesen Sie und kreuzen Sie an. Vergleichen Sie mit a: Hatte der Journalist recht?

1 ○ Was ○ hätten ○ wären ⊠ würden (1) Sie jetzt am liebsten machen?

□ Ich ○ hätte ○ wäre ○ würde (2) jetzt am liebsten zu Hause. Eigentlich ○ hätte ○ wäre ○ würde (3) ich gern viel weniger Geschäftsreisen machen. Ich ○ hätte ○ wäre ○ würde (4) lieber mehr Online-Meetings. Aber am liebsten ○ hätte ○ wäre ○ würde (5) ich meine eigene Chefin.

2 ○ Wo ○ hätten ○ wären ○ würden (6) Sie jetzt am liebsten?

○ Wir ○ hätten ○ wären ○ würden (7) gern noch länger Ferien und ○ hätten ○ wären ○ würden (8) am liebsten wieder nach Spanien fliegen.

○ Und du ○ hättest ○ wärst ○ würdest (9) jetzt am liebsten ein Eis essen, oder?

□ Ja, klar!

---

3 Zukunftswünsche Ⓖ KB 2 ————————————— SCHREIBEN

a Ergänzen Sie *hätte, wäre* oder *würde* in der richtigen Form.

> ● ● ●   www.zukunft.org/forum   ✕
>
> ## Euer Leben in 20 Jahren.
>
> <u>Joe99</u> Ich wäre (1) am liebsten mein eigener Chef. Kinder _____ (2) ich auch gern.
> Meine Freundin _____ (3) am liebsten gleich fünf. Außerdem _____ (4) wir gern
> ein Haus auf dem Land.
> Was _____ (5) ihr gern machen? Was _____ (6) ihr gern von Beruf?
> _____ (7) ihr gern eine Familie und Kinder? Was _____ (8) ihr noch gern –
> ein Haus, ein Auto, ein Schiff ...?
>
> <u>Weltenbummlerin</u> Ich _____ (9) am liebsten Reisejournalistin. Ich _____ (10)
> gern mit meinem Freund um die Welt reisen. Deshalb _____ (11) wir auch gern einen
> kleinen Camping-Bus. Wir _____ (12) einfach gern frei.
>
> <u>Ich</u> _____

b Schreiben Sie eine Antwort in a.

In 20 Jahren wäre ich gern / am liebsten ...
Ich hätte gern / am liebsten ...

➕ **NOCH MEHR?**
Seite 104

---

4 Was braucht man auf Reisen? Ⓦ KB 4

a Was ist das? Ordnen Sie zu.

② ◆ Schmerzsalbe   ⬡ ◆ Wolldecke

⬡ ◆ Sonnencreme   ⬡ ◆ Pflaster

⬡ ◆ Zahnpasta   ⬡ ◆ Zahnbürste

⬡ ◆ Taschenmesser

⬡ ◆ Ladegerät

b Helfen Sie den Personen und ergänzen Sie Dinge aus **a**.

1 ● Ich möchte meine Zähne putzen.
    ◻ Die _Zahnbürste_ und die
    _____ sind
    im Bad.

2 ● Ich möchte den Apfel kleinschneiden.
    ◻ Brauchst du ein
    _____ ?

3 ● Ich gehe jetzt zum Strand.
    ◻ Vergiss die _____
    nicht.

4 ● Ich habe mich in den Finger geschnitten.
    ◻ Hier hast du ein
    _____ .

5 ● Mir tut alles weh: Knochen, Muskeln ...
    ◻ Hier hast du eine
    _____ .

6 ● Hilfe! Mein Akku ist fast leer.
    ◻ Kein Problem, ich habe ein
    _____ .

7 ● Brrr. Mir ist kalt.
    ◻ Nimm doch die
    _____ .

5 **Lesen Sie den Blog. Was ist richtig? Kreuzen Sie an.** Ⓦ KB 6

---

www.karinsblog.de   ✕

Drinnen und Draußen

Meine erste Hüttenwanderung

Gestern war die [☒ Wanderung] [○ Promenade] (1) echt anstrengend. Nach
acht Stunden haben wir endlich die Hütte [○ erreicht] [○ geschafft] (2).
Wir haben viel erlebt: Wir haben ohne Schuhe einen Bach [○ überquert]
[○ überholt] (3). Das Wasser war eiskalt und die [○ Gletscher] [○ Steine] (4)
im Bach waren ganz schön hart. Wir haben Wiesen voller Blumen und sogar einen Steinbock gesehen. Was für eine Überraschung: [○ Plötzlich] [○ Endlich] (5) war das Tier direkt
vor uns. Heute Nacht habe ich von Wanderwegen [○ geschlafen] [○ geträumt] (6). Leider
müssen wir immer sehr früh aufstehen. Ich habe gedacht, ich kann unseren [○ Stadtführer]
[○ Bergführer] (7) überreden, dass wir ein bisschen später losgehen – aber keine
[○ Aussicht] [○ Chance] (8). Um 7 Uhr starten wir. [○ Vor] [○ Vorher] (9) trinke ich schnell
einen Kaffee – schwarz, nur mit viel [○ Zucker] [○ Milch] (10), mehr Zeit habe ich nicht.

Steinbock

---

6 **Lange und kurze Vokale** KB 6

a Hören Sie und markieren Sie den Wortakzent: lang (＿) oder kurz (.).

2 ◀)) 31–38

1 a: Zahnpasta – Pflaster
2 e: Messer – leer
3 i: Brille – Wiese

4 o: Knochen – oben
5 u: Zucker – Natur
6 ü: glücklich – Füße

7 ö: schön – plötzlich
8 ä: Gerät – hätte

2 ◀)) 39

b Hören Sie und sprechen Sie nach.

1 ohne / Wolldecke: Ohne Wolldecke ist es zu kalt.
2 Schlafsack / warm: Im Schlafsack ist es warm.
3 Fuß / Fluss: Wir gehen zu Fuß an den Fluss.
4 Sonnenbrille / lieben: Ich liebe meine Sonnenbrille.
5 Geldbeutel / leer: Leider ist mein Geldbeutel leer.
6 plötzlich / Vögel: Plötzlich hören wir Vögel.
7 Hütte / Sonnenhüte: In der Hütte brauchen wir keine Sonnenhüte.

7 **Lesen Sie die Forumsbeiträge und schreiben Sie Ihre Antwort.** KB 7 ⎯ SCHREIBEN

● ● ●   www.traumurlaub.com/forum   ✕

Mister X Städtereise, Kreuzfahrt oder doch lieber Strand-, Wellness- oder Abenteuerurlaub?
Wohin würdet ihr fahren, was würdet ihr dort gern machen und wo würdet ihr gern übernachten?

Maja Ich würde am liebsten einen Abenteuerurlaub in Peru machen. Dort würde ich am liebsten
eine Kajaktour durch den Regenwald machen und in einem Camp übernachten.

Big in Japan Ich würde am liebsten eine Städtereise nach Tokio machen. Japan ist mein Traumland.
Dort würde ich dann gern in einem Luxushotel übernachten.

Ich *Ich würde am liebsten* _____

---

8 **Zahlen in Infografiken** Ⓦ KB 7

a Was kann man noch sagen? Ordnen Sie zu.

86 % (____)   52 % (*3*)   50 % (____)   51 % / 49 % (____)   46 % (____)   25 % (____)   9 % (____)

1 rund / etwa die Hälfte   **2** einige   **3** mehr als die Hälfte / … Prozent

4 genau die Hälfte   **5** ein Viertel   **6** die meisten   **7** weniger als die Hälfte

b Sehen Sie die Grafik an. Was aus **a** passt? Ergänzen Sie.

WARUM GEFÄLLT IHNEN CAMPING?

Mehr als 70 *Prozent* (1) möchten die Natur erleben.
_____ (2) mag, dass man beim
Campingurlaub flexibel ist. Dass die Übernachtung auf
dem Campingplatz nicht so teuer ist wie im Hotel, findet
_____ (3) wichtig.
_____ (4) mag
das Abenteuer und mehr als _____ (5)
findet gut, dass man beim Campen raus aus dem Alltag ist. _____ (6) machen
auch Campingurlaub, weil Camping gut für die Umwelt ist.

71 % in der Natur
50 % flexibel
48 % billiger als Hotelurlaub
43 % Abenteuer
27 % kein Alltag
15 % gut für die Umwelt

9 **Partneraufgabe: Infografiken zum Thema „Urlaub"** Ⓚ KB 7 ⎯ SPRECHEN

Beschreiben Sie Grafik A oder B zum Thema „Mit welchem Verkehrsmittel fahren Sie am liebsten
in Urlaub?" in einer Sprachnachricht. Schicken Sie diese an Ihre Partnerin / Ihren Partner.

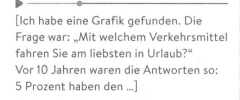

[Ich habe eine Grafik gefunden. Die
Frage war: „Mit welchem Verkehrsmittel
fahren Sie am liebsten in Urlaub?"
Vor 10 Jahren waren die Antworten so:
5 Prozent haben den …]

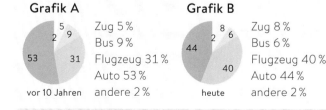

Grafik A
vor 10 Jahren
Zug 5 %
Bus 9 %
Flugzeug 31 %
Auto 53 %
andere 2 %

Grafik B
heute
Zug 8 %
Bus 6 %
Flugzeug 40 %
Auto 44 %
andere 2 %

Kopf hoch!

1 Dokumente und was man sonst noch braucht Ⓦ KB 3

a Was passt noch? Ergänzen Sie die fehlenden Buchstaben.

1 Grenzkontrolle: ◆ Ausweis | ◆ R_____ | ◆ V_____
2 Bewerbung: ◆ Foto | ◆ L e b e n s l a u f | ◆ Z_____
3 Auto-Werkstatt: ◆ Pkw | ◆ K_____ -V
   ◆ F_____
4 Arztpraxis: ◆ Termin | ◆ G_____
   ◆ I_____

b Partneraufgabe: Ihre Partnerin / Ihr Partner fährt mit dem Auto zum Vorstellungsgespräch, danach zum Arzt. Welche Dokumente sollte sie / er mitnehmen? Schicken Sie eine kurze Textnachricht.

> Viel Glück! 🙂 Vergiss deinen Ausweis nicht. Denk auch an …

2 Ergänzen Sie in der richtigen Form. Ⓦ KB 3

an|sehen betreuen erfahren kopieren passen rufen ~~zusammen sein~~

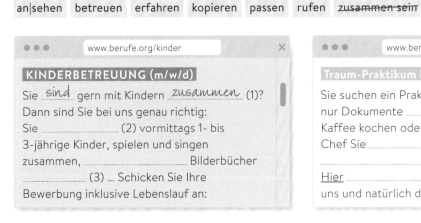

KINDERBETREUUNG (m/w/d)

Sie _sind_ gern mit Kindern _zusammen_ (1)?
Dann sind Sie bei uns genau richtig:
Sie _____ (2) vormittags 1- bis
3-jährige Kinder, spielen und singen
zusammen, _____ Bilderbücher
_____ (3) … Schicken Sie Ihre
Bewerbung inklusive Lebenslauf an:

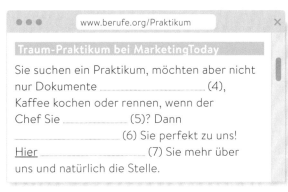

Traum-Praktikum bei MarketingToday

Sie suchen ein Praktikum, möchten aber nicht
nur Dokumente _____ (4),
Kaffee kochen oder rennen, wenn der
Chef Sie _____ (5)? Dann
_____ (6) Sie perfekt zu uns!
Hier _____ (7) Sie mehr über
uns und natürlich die Stelle.

3 Was bedeuten die markierten Wörter im Blogbeitrag? Ⓦ KB 3

Finden Sie noch vier Wörter und ordnen Sie zu.

e i g e n t l i c h | b e r e i t s e v e n t u e l l g l e i c h z e i t i g k o m p l e t t

www.lenisblog.at

Kinder sind toll! 😊 Freundlich und meistens (_eigentlich_) (1) auch kreativ – aber auch
(_____) (2) vorsichtig und kritisch. 🤓 Ich bin wohl ihr größter Fan!
Deshalb arbeite ich im Kindergarten. Irgendwann möchte ich eigene Kinder haben. Vielleicht
(_____) (3) schon (_____) (4) bald. 😌 Mein Leben wird
dann total (_____) (5) anders und schön. Ich freue mich schon darauf!

4 Die Ausbildungsmesse 🄶 🔍 KB 3

2 ◀)) 40

a Hören Sie das Gespräch. Was möchte Mo wissen? Kreuzen Sie an.

1 Mo möchte wissen, wann die Messe stattfindet. ☒
2 Er fragt, ob man im Internet mehr erfahren kann. ◯
3 Er würde gern wissen, wo die Messe ist. ◯
4 Er fragt, was man auf der Messe machen kann. ◯
5 Er fragt, wie viele Unternehmen teilnehmen. ◯
6 Er möchte wissen, ob man etwas mitbringen muss. ◯

> Hi Mo, du suchst doch ein Praktikum, oder? Im April gibt es eine Messe, hier in Dresden. Geh doch da mal hin. LG Ina

b Was hat Mo eigentlich gefragt? Schreiben Sie die direkten Fragen.

1 — Wann findet die Messe statt?

4 —

2 —

5 —

3 —

6 —

c Markieren Sie in den indirekten Fragesätzen 1–6 in **a** das Wort nach dem Komma und das konjugierte Verb. Lesen Sie dann die Regeln und kreuzen Sie an.

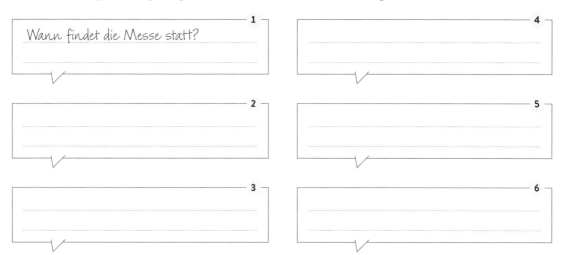

indirekte *W*-Fragen (Sätze 1, 3–5):	indirekte *Ja-/Nein*-Fragen (Sätze 2 und 6):
Der Nebensatz beginnt mit	Der Nebensatz beginnt mit
☒ einem Fragewort ◯ ob .	◯ einem Fragewort ◯ ob .
Das konjugierte Verb steht	Das konjugierte Verb steht
◯ nach dem Fragewort ◯ am Ende .	◯ am Anfang ◯ am Ende .

5 Im Bewerbungsforum 🄶 🄺 KB 4

a Lesen Sie und ergänzen Sie ein Fragewort (*was, wo, warum, wie lange*) oder *ob*.

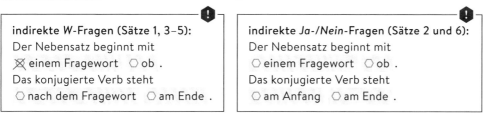

www.bewerbung-bewerbung.de ✕

Rafael Ich besuche bald die Ausbildungsmesse in Dresden und möchte gern wissen, was (1) ich mitnehmen sollte.

Mona Darf ich fragen, _____ (2) du zur Messe gehen willst? Wenn du dich bewerben willst, brauchst du auf jeden Fall einen Lebenslauf und Zeugnisse.

Rafael @Mona: Na ja, ich bin unsicher, _____ (3) eine Ausbildung überhaupt zu mir passt. Und ich hoffe, dass ich dort Antworten bekomme. Vielleicht kann ich ja mit Azubis sprechen …

Isi123 @Rafael: Kannst du mir sagen, _____ (4) in Dresden die Messe genau ist? Das klingt total interessant. Und hast du eine Ahnung, _____ (5) sie dauert?

> Eine indirekte Frage klingt manchmal besser als eine direkte Frage.

b Partneraufgabe: Sie möchten die Ausbildungsmesse auch besuchen.
Was möchten Sie fragen? Machen Sie zu zweit Notizen.

Ausbildungs- und Praktikumsmesse Dresden
Wann? 02.04.–05.04., 10:00–17:00 Uhr
Wo? Rudolf-Harbig-Stadion, Dresden
Was? - Unternehmen kennenlernen
  - Ausbildungsangebote bekommen
  - mit Firmen in Kontakt kommen
+++ 76 Unternehmen • Bewerbungs-Coaching •
Job-Speed-Dating • Café +++
Bringen Sie Ihren Personalausweis, Ihren Lebens-
lauf und Ihre Zeugnisse mit!

1. Um wie viel Uhr öffnet die Messe?
  → Ich weiß nicht genau, um
  wie viel ...
2. Findet auch ein Bewerbungs-
  Coaching statt?
  → Kannst du mir bitte sagen, ...?
3. Wie viele Unternehmen sind auf
  der Messe?
  → Weißt du, ...?
4. Gibt es auch ein Café?
  → Ich möchte gern fragen, ...

!
Punkt oder Fragezeichen?
Aussagesatz: *Ich weiß nicht genau,* um wie viel Uhr die Messe öffnet.
Fragesatz: *Weißt du,* um wie viel Uhr die Messe öffnet?

---

c Schicken Sie Ihre Fragen an
Ihre Partnerin / Ihren Partner.
Sie / Er liest die Anzeige in **b**
und antwortet.

Ich weiß nicht genau,
um wie viel ...

Die Messe
öffnet um ...

Das weiß ich leider
auch nicht.

6 Satzmelodie bei indirekten Fragen KB 4 ————————— AUSSPRACHE

a Hören Sie und sprechen Sie nach.

2 ◀))
41–44

1 Wissen Sie →, wann die Messe stattfindet? ↗
2 Könnten Sie mir sagen →, ob ich in Ihrer Firma
  auch ein Praktikum machen kann? ↗
3 Ich würde gern wissen →, ob die Ausbildung
  zu mir passt. ↘
4 Ich bin nicht sicher →, wie man einen
  Lebenslauf schreibt. ↘

2 ◀))
45

b Lesen Sie die Regel und ergänzen Sie: ↗, ↘
oder →. Hören Sie dann und vergleichen Sie.

1 Ich würde gern wissen ——→, was ich im
  Praktikum lerne ——.
2 Du bist unsicher ——, ob dir das Praktikum
  gefällt ——.
3 Weißt du schon ——, ob du ein FSJ machen
  möchtest —— ?
4 Können Sie mir sagen ——, wo die Messe
  stattfindet —— ?

!
Als Einleitung (z. B. *Weißt du schon, ...*;
Ich würde gern wissen, ...): Die Stimme
bleibt fast gleich →.
Indirekter Fragesatz:
Als Frage (z. B. *Weißt du schon,
wann du kommst?*): Die Stimme geht
am Ende nach oben ↗.
Als Aussage (z. B. *Ich möchte wissen,
wann du kommst.*): Die Stimme geht
am Ende nach unten ↘.

➕ NOCH MEHR?
Seite 105

7 Lesen Sie den Flyer auf Seite 83 und ordnen Sie zu. Ⓦ KB 4

Anmeldung ⬡1 ausleihen ⬡ Ausnahme ⬡ Eintritt ⬡
Innenstadt ⬡ Lesesaal ⬡ Zugang ⬡

Tag der offenen Tür in der öffentlichen Stadtbibliothek Bücherstadt!

Wann? Sa, 14. April, 10–15 Uhr, ohne (1).

Wo? Am Zentrum 10, Fußgängerzone in der (2).

Was? Wir zeigen Ihnen die Bibliothek und empfehlen Bücher. Sie können sich auch gleich anmelden und mit Ihrem Ausweis bis zu 20 Medien (3).

(4).: In den Sommerferien bis zu 30 Medien.

Tipp: Besuchen Sie auch unsere historische Bücher-Ausstellung im (5).

Am Tag der offenen Tür ist der (6). frei! ((7). neben der Tankstelle).

🚐 Für alle ohne Auto: Die Buslinie 3 hält direkt vor der Bibliothek.

---

2 ◀)) 46

8 Sie machen in der Stadtbibliothek Bücherstadt ein Praktikum. Ⓦ KB 4 ──SPRECHEN

Hören Sie die Nachricht und machen Sie Notizen. Rufen Sie dann zurück und antworten Sie.

- Preis?
- Ausleihen möglich?
- ...

▶ ────────●──────────
[Hallo, Frau Robbe. Gern beantworte ich Ihre Fragen. Die Veranstaltung ist ..., aber der Ausweis kostet ...]

---

9 Das habe ich mir anders vorgestellt. Ⓚ KB 6

a Wer sagt das: Maria oder Josy? Verbinden Sie.

Maria

1 „Das finde ich echt schade."
2 „Tut mir leid, dass du unzufrieden bist."
3 „Ich bin total enttäuscht."
4 „Das gehört eben dazu."
5 „Ehrlich gesagt: Das habe ich mir anders vorgestellt!"
6 „Das ist ja wirklich traurig!"
7 „So ist das nun mal."
8 „Kopf hoch!"
9 „Ich kann verstehen, dass du enttäuscht bist."

Josy

b Lesen Sie die Nachrichten. Was passt? Ordnen Sie zu.

Geduld ~~freiwillig~~ überlege Unterstützung Leitung betreuen

1

Meine Chefin nervt sooooooo.
Ich muss total viel arbeiten und
bekomme gar kein Geld. ☹
Ich arbeite doch _freiwillig_ (1) hier!
Ich _____ (2),
ob ich was anderes suche.

2

Seit Mai arbeite ich in einem Kindergarten. Ich muss
die Kinder _____ (3), aber ich
verliere langsam meine _____ (4).
Die Kindergarten-_____ (5) ist total
unfreundlich und ich bekomme überhaupt keine
_____ (6).

c Reagieren Sie auf die Nachricht 1 oder 2 in **b**. Schicken Sie eine Sprachnachricht. Die Sätze in **a** helfen Ihnen.

1 **Was braucht man unbedingt beim Camping? Lösen Sie das Rätsel.**

W o l l -
d e c k e

_____ - _____ _____ - _____

_____ _____ - _____

_____

2 **Was passt nicht? Streichen Sie durch.**

a ◆ Reisepass | ◆ Impfung | ◆ Visum | ◆ ~~Lebenslauf~~ | ◆ Flugzeug | ◆ Koffer
b ◆ Bibliothek | ◆ Bilderbuch | ◆ Muskelschmerzen | ◆ Lesesaal | ◆ Ausweis | ◆ Zeitung
c ◆ Praktikum | ◆ Zucker | ◆ Kenntnisse | ◆ Hilfsarbeiten | ◆ Bewerbung | ◆ Erfahrung
d ◆ Handy | ◆ Elektrogerät | ◆ Powerbank | ◆ Akku | ◆ Tagebuch | ◆ Tablet

3 **Was passt zusammen? Kombinieren Sie und bilden Sie Sätze.**

Reise   Buch   Straße
Stunde Bewerbung
Kinder Freunde Zeugnisse

reduzieren   ausleihen
unterstützen
betreuen   ablehnen
überqueren
unternehmen   kopieren

– Die Kindergartenleitung hat meine Bewerbung abgelehnt.
– ...

4 **Was sehen Sie? Bilden Sie Wörter und ordnen Sie zu.**

aus	bahn	bau	bürger	~~bus~~	e-	fahr	fahrt	fall	fuß	gänger
leih	leitung	~~linie~~	lkw	pkw	rad	rad	scooter	stau	steig	stelle
stelle	streifen	tank	um	un	weg	zebra	zone

1 die B uslinie	5 der B____	8 die A____	12 die T____
2 der R____	6 die F____	9 die B____	13 die F____
3 der E____	7 der Z____	10 der P____	14 die U____
4 das L____		11 der L____	15 der S____
			16 der U____

5 Urlaub im Campingbus. Wie finden Sie das? W K ———————————— SCHREIBEN

a Wie viele Personen haben was geantwortet? Ordnen Sie zu.

die meisten   ein Viertel   ~~einige~~   genau die Hälfte   mehr als die Hälfte   rund 30 Prozent

12 % = _einige_

25 % = _____

33 % = _____

50 % = _____

54 % = _____

91 % = _____

„Leider gibt es nur sehr wenig Platz."

„Man lernt schnell andere Menschen kennen."

„Man erlebt so viel!"

„Man ist total flexibel!"

„Tisch und Stühle sind immer dabei."

„Man kann die Natur genießen."

b Beschreiben Sie die Grafik. Verwenden Sie die Wörter in **a**.

Einige, 12 %,
mögen nicht, ...

2 ◀)) **6 Audiotraining: *Das hätte ich auch gern!*** K G
47   Hören Sie und antworten Sie.

7 Mias Freitag. Ergänzen Sie *bei(m), vom* oder *zu(m).* G

Mia ist _beim_
Einkaufen.

Sie ist _____
Bäcker.

Nun geht sie
_____
Blumenladen.

Sie fährt _____
Niki. _____ ihm
feiern sie ein Fest.

8 Was passt zusammen? Verbinden Sie. K

1 ▫ Ich kann
2 ▫ Ich bin total
3 ▫ Ich schaffe
4 ▫ Ich bin

a das nicht.
b echt begeistert.
c nicht mehr.
d enttäuscht.

○ Doch, du schaffst das.
○ Ich auch.
○ Ich kann verstehen, dass du enttäuscht bist.
○ Kopf hoch! Morgen ist ein neuer Tag.

2 ◀)) **9 Audiotraining: *Ich würde gern wissen ...*** G
48   Hören Sie und antworten Sie.

2 ◀)) **10 Ich hätte gern ein Mietauto.** K ———————————— SPRECHEN
49   Ein Freund aus Ihrem Land möchte mit einem Mietauto von Jena nach Köln
      fahren. Er spricht kein Deutsch. Er möchte wissen, ob sein Führerschein auch in
      Deutschland gültig ist. Sie haben vom Autohaus eine Sprachnachricht bekommen.
      Hören Sie und machen Sie Notizen. Sprechen Sie dann in Ihrer Sprache.

2 ◀)) **1 Was ist Ihr Traumurlaub?**
50

Sie hören zwei verschiedene Texte mit dem gleichen Inhalt. Hören Sie und
kreuzen Sie an. Es gibt sechs richtige Antworten.

Was sind Hendriks Pläne für den Sommer?
Wohin, wie und mit wem will er reisen?

a ○ nach Frankreich	b ○ durch Deutschland	c ○ durch die USA	d ○ nach Italien
e ○ zu Fuß	f ○ mit dem Fahrrad	g ○ mit dem Zug	h ○ mit dem E-Scooter
i ○ allein	j ○ mit seiner Ehefrau	k ○ mit seinem Hund	l ○ mit einem Freund

.... / 6 Punkte

2 Na gut, warum nicht?

a Lesen Sie die Sprachnachrichten 1–6.
Stimmen Sie zu oder lehnen Sie ab?
Machen Sie Notizen.

> 1. gefährlich? – lieber nicht
> 2. ...
> 3.

1 ▶ ——————●——————
[Hi, das glaubst du nicht. Ich habe gerade eine Nachricht
von skydive bekommen. Wir können am Wochenende mit dem
Hubschrauber fliegen. Wahnsinn!!!!]

2 ▶ —●——————
[Ich komme heute Abend später. Haben wir noch etwas vor? Am liebsten würde
ich mal gar nichts machen. Einfach nur gemütlich auf dem Sofa liegen.]

3 ▶ ——●——————
[Wollen wir im Urlaub in einem Baumhaus übernachten? Ich verspreche dir, das
macht bestimmt Spaß und ist auch gar nicht sooooo teuer.]

4 ▶ ——————————●——
[Stehen wir am Sonntag um 4 Uhr auf und wandern auf die Alpspitze? Dann sind wir
um 8 Uhr oben auf dem Berg. Das gefällt dir sicher, denn die Aussicht ist fantastisch.]

5 ▶ ——————●————
[Ich will mal wieder weg. Lass uns nur die Zahnbürsten einpacken, einen Mietwagen
nehmen und für ein paar Tage irgendwohin fahren. Was hältst du davon?]

6 ▶ —————●——————
[Wollen wir zusammen mit Sue den Triathlon machen? Ich kann gut schwimmen
und Sue will Rad fahren. Magst du laufen? Die Anmeldung läuft bis Ende Juli.]

b Wie reagieren Sie? Schicken Sie Ihrer Partnerin / Ihrem Partner eine Sprachnachricht.
Verwenden Sie die Sätze im Kursbuch auf Seite 64.

1 ▶ ————————●————
[Oh, ich weiß nicht! Für mich ist das nichts. Das ist doch zu gefährlich,
oder? Ich komme lieber nicht mit.]

.... / 6 Punkte

3 Ist das richtig? — LESEN

Sehen Sie sich die Infografiken an. Kreuzen Sie an: *richtig* oder *falsch*.

Statistik 3: Was braucht man bei einem FSJ im Ausland?

87% Lust auf Neues & Abenteuer	
48% Geduld	
20% Sprachkenntnisse	
13% Erfahrung	

0 10 20 30 40 50 60 70 80 90

		richtig	falsch
1	Fast alle haben ihren Ausweis immer dabei.	☒	○
2	Etwa die Hälfte hat den Führerschein immer dabei.	○	○
3	Rund ein Viertel nimmt den Reisepass mit.	○	○
4	Genau drei Viertel mögen keine Umleitungen.	○	○
5	Mehr als achtzig Prozent mögen keine Baustellen.	○	○
6	Etwa die Hälfte denkt, dass Geduld wichtig ist.	○	○
7	Die meisten finden, dass man Erfahrung braucht.	○	○

_____ / 6 Punkte

4 Kopf hoch! — SCHREIBEN

Lesen Sie die E-Mail. Können Sie Tabea verstehen? Was wünschen Sie ihr?
Antworten Sie und geben Sie ihr zwei Tipps. Denken Sie auch an die Anrede und den Gruß.

● ● ●   ✕

Hi,

jetzt habe ich so lange nicht geschrieben! Es geht mir im Moment nicht so gut. Du weißt ja, ich will unbedingt Mechatronikerin werden. Weil die Ausbildung erst im September beginnt, mache ich gerade für vier Monate ein Praktikum bei der Autowerkstatt Restle. Aber ich bin echt enttäuscht und auch genervt. Ich muss jeden Tag richtig viel arbeiten, aber ich darf keine Autos reparieren. Ich muss sie immer nur waschen, das ist sooooo langweilig. Das habe ich mir anders vorgestellt. Ich war voller Ideen und jetzt mache ich nur Hilfsarbeiten. 😖
Was soll ich tun? Vielleicht das Unternehmen wechseln? Es gibt ja noch mehr Werkstätten.
Ich weiß nicht, ob du mich verstehen kannst. Hast du nicht auch vor ein paar Monaten ein Praktikum gemacht? Wie war das bei dir?

Viele liebe Grüße und hoffentlich bis bald,
Tabea

_____ / 6 Punkte

😊 20 – 24 Punkte
😐 13 – 19 Punkte
☹ 0 – 12 Punkte

www.berufe-netz.com ✕

NELE BACHMANN   198 Kontakte 👥

🖥 Bürokauffrau

📍 Nürnberg, Deutschland

Über mich:

Ich arbeite in einer Softwarefirma mit 140 Angestellten. Mein Arbeitstag beginnt um 7:30 Uhr. Das ist früh, aber mit dem Bus bin ich in 20 Minuten im Büro. Bei uns in der Personalabteilung ist immer viel los. Meistens arbeite ich am Computer. Im Moment organisiere ich z. B. eine Umfrage in unserer Firma. Das ist richtig spannend.

✉→

1 Lesen Sie Nele Bachmanns Profil und sprechen Sie im Kurs.

| Wie kommt Nele Bachmann zur Arbeit? | Wie kann man noch zur Arbeit oder zur Uni fahren? | Gibt es Unterschiede zwischen Stadt und Land? | Ist es in anderen Ländern anders als in Deutschland? |

2 Ein Gespräch in der Pause

2 🔊 51

a Über welche Themen sprechen Nele und ihre Kollegen <u>nicht</u>?
Hören Sie und streichen Sie durch.

1 ~~die nächste Urlaubsreise~~

2 ein Jobticket von der Firma

3 wie sie zur Arbeit kommen

4 wie man im Homeoffice arbeitet

b Hören Sie noch einmal und kreuzen Sie an: *richtig* oder *falsch*?

	richtig	falsch
1 „Jobticket" bedeutet: Die Mitarbeiter bekommen kostenlos ein Monatsticket.	○	○
2 Mit einem Jobticket muss man für das Monatsticket nur 20 € bezahlen.	○	○
3 Ein Monatsticket kostet 80 €. Mit einem Jobticket bezahlt man nur 60 €.	○	○

c Benutzen Sie ein „Jobticket" oder eine andere Fahrkarte? Warum? Sprechen Sie zu zweit.

3 Nele hält eine Präsentation.

2 🔊 52

a Sehen Sie die Grafik an. Was glauben Sie:
Was ist das Thema von Neles Präsentation?
Sprechen Sie im Kurs. Hören Sie dann und
kontrollieren Sie.

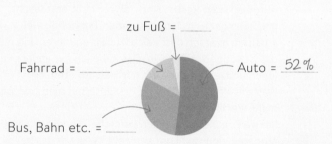

zu Fuß = _____

Fahrrad = _____   Auto = 52 %

Bus, Bahn etc. = _____

b Hören Sie noch einmal und
ergänzen Sie die Grafik.

3 %   14 %   31 %   ~~52 %~~

ein Drittel ≈ 33,3 %

4 Wie kommen Mitarbeiter ins Büro?

a Sehen Sie die Grafiken an und ergänzen Sie.

Auto Bahn Bus Fahrrad Motorrad Pkw ~~S-Bahn~~ U-Bahn Verkehrsmittel Verkehrsmitteln

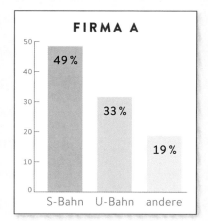

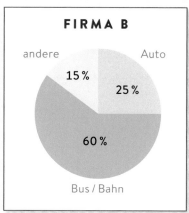

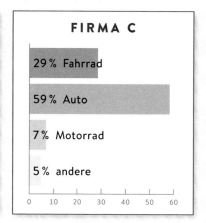

Das Säulendiagramm zeigt:

– Weniger als 50 % kommen
  mit der _S-Bahn_ (1).
– Ein Drittel kommt mit der
  _____ (2).
– Rund ein Viertel benutzen
  andere
  _____ (3).

Das Tortendiagramm zeigt:

– Mehr als die Hälfte fährt mit
  dem _____ (4)
  oder der _____ (5).
– Ein Viertel benutzt den
  eigenen _____ (6).
– Einige fahren mit anderen
  _____ (7).

Das Balkendiagramm zeigt:

– Die meisten Mitarbeiter
  kommen mit dem
  _____ (8).
– Etwa ein Drittel kommt mit
  dem _____ (9).
– Fast 10 % fahren mit dem
  _____ (10).

b Arbeiten Sie zu zweit. Beschreiben Sie eine Grafik aus **a**. Ihre Partnerin /
Ihr Partner rät: Welche Grafik meinen Sie?

5 Sie möchten Umfrage-Ergebnisse präsentieren.

Was können Sie sagen? Bilden Sie Wörter und ergänzen Sie.

a Wir haben eine _____ .

b Wir haben alle _Kollegen gefragt_ , wie sie zur
  Arbeit kommen.

c Wir haben eine _____
  _____ .

d Das _____ Sie hier.

e Das _____ :
  28 % kommen mit dem Bus.

| fra | Um | ge | macht | ge |

| ~~Kol~~ | ~~gen~~ | ~~le~~ | ~~fragt~~ | ~~ge~~ |

| fik | Gra | tet | rei | vor | be |

| geb | nis | Er | hen | se |

| gramm | Dia | zeigt |

6 Eine Umfrage: Wie kommen Sie zum Deutschkurs?

a Arbeiten Sie in zwei Gruppen. Wie viele aus
  Ihrer Gruppe kommen mit dem Bus, der S-Bahn,
  dem Fahrrad etc. zum Deutschkurs? Zeichnen Sie
  eine Grafik und bereiten Sie eine Präsentation vor.
  Hilfe finden Sie in **4** und **5**.

b Präsentieren Sie die Umfrage-Ergebnisse.

1 Vorbereitung —————————————————————————

a Lesen Sie die Information über Kiano. Lesen Sie dann die Anzeigen 1 und 2.
Wo finden Sie dort die **markierten** Informationen? <u>Unterstreichen</u> Sie.

◯ Kiano möchte ein soziales Jahr in einem Kinderhaus in einem anderen Land machen,
am liebsten in der Schweiz.

1
www.arbeiten-und-wohnen.ch ✕

Möchtest du die <u>Schweiz</u> kennenlernen
und gleichzeitig dort leben und arbeiten?
<u>Für vier Wochen bis zu drei Monaten</u>
kannst du Familien unterstützen: mit den
Kindern spielen oder im Haushalt helfen.
Auf unserer Webseite findest du viele
Familien und soziale Projekte. Du arbeitest
ungefähr fünf Stunden am Tag. Dafür
kannst du kostenlos wohnen und essen.

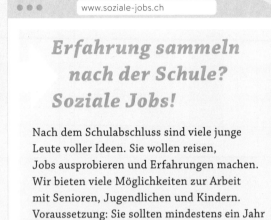

2
www.soziale-jobs.ch ✕

Erfahrung sammeln
nach der Schule?
Soziale Jobs!

Nach dem Schulabschluss sind viele junge
Leute voller Ideen. Sie wollen reisen,
Jobs ausprobieren und Erfahrungen machen.
Wir bieten viele Möglichkeiten zur Arbeit
mit Senioren, Jugendlichen und Kindern.
Voraussetzung: Sie sollten mindestens ein Jahr
bleiben. Außerdem sollten Sie je nach Kanton
(so heißen in der Schweiz die Bundesländer)
Deutsch-, Französisch- oder Italienisch-
kenntnisse mitbringen.

b Lesen Sie die Anzeigen noch einmal und vergleichen Sie. Welche Anzeige
passt besser zur Aufgabe? Ergänzen Sie in **a**.

> **!** Lesen Sie genau. Die Anzeigen sind sehr ähnlich. Jobs für
> soziale Arbeit in der Schweiz gibt es in beiden Anzeigen.
> Die Dauer ist aber unterschiedlich.

2 In der Prüfung

Sechs Personen suchen im Internet nach Freizeit-
und Reisetipps. Lesen Sie die Aufgaben 1 bis 5 und
die Anzeigen a bis f . Welche Anzeige passt zu welcher
Person? Für eine Aufgabe gibt es keine Lösung.
Markieren Sie so ✕.

> **!** Die Anzeige aus dem Beispiel
> können Sie nicht mehr wählen.

Beispiel: Emily plant mit ihren Freundinnen ein Wochenende mit viel Entspannung. ⬡ *c*

1 Sven lebt in Mainz und würde gern einen Tag lang ein E-Bike testen. ⬡

2 Joe möchte zu Fuß die Alpen überqueren und sucht Informationen. ⬡

3 Lukeni will den Rhein-Radweg nicht allein fahren und sucht einen Reisepartner. ⬡

4 Simone wohnt in Tirol und möchte mit ihren Kindern Urlaub in Deutschland
und am Meer machen. ⬡

5 Metin studiert in Köln und möchte mit dem Zug durch Deutschland reisen. ⬡

a

● ● ●   www.am-liebsten-draußen.de   ✕

Kinder wollen raus in die Natur, in die Berge, an die Seen und ans Meer – natürlich an die Nordsee!

In unserem Feriendorf finden Sie kleine Holzhäuser für Familien. Auch Hunde sind willkommen. Zum Strand sind es nur fünf Minuten. Für alle, die mit dem Zug kommen, haben wir kostenlos Räder zum Ausleihen.

b

● ● ●   www.rheinradweg-tour.de   ✕

RHEIN Radweg

Der Rhein-Radweg ist ca. 1230 km lang. Er beginnt in den Schweizer Alpen und führt durch fünf Länder bis zur Nordsee. Wir haben für Sie die schönsten Touren beschrieben und geben Tipps für Hotels und Restaurants. Geheimtipp: 7 Tage Mainz-Köln, mit Hotel, Leihrad und Gepäcktransport nur 499 Euro pro Person

c

● ● ●   www.alpen-aktiv-tirol-hotel.at   ✕

Erleben Sie die Berge Tirols im Herbst.

Erleben Sie die Berge Tirols im Herbst. Wir organisieren alles für Sie: Kurzurlaube mit viel Ruhe bei uns im Hotel, Wanderungen für Kinder, spezielle Touren für Studierende oder Alpenüberquerungen mit dem E-Bike. Sie erreichen uns entspannt mit dem Zug, wir holen Sie gern am Bahnhof ab und bieten auch Leihautos an.
Neu: Spezialangebote für kleine Gruppen. Mehr Informationen finden Sie auf unserer Webseite.

d

● ● ●   www.in-die-Welt.de   ✕

Spezial Sommer-Ticket!

Auch dieses Jahr bietet die Deutsche Bahn im Juli und August das Spezial-Sommerticket für Schüler und Studierende bis 27 Jahre an. Das Ticket kostet 49 Euro (für Kinder von 6–14 Jahren nur 19 Euro). Damit könnt ihr durch alle Bundesländer fahren, sooft ihr möchtet. Ihr dürft auch Fahrräder mitnehmen. Achtung, bitte habt immer euren Schüler- oder Studierendenausweis dabei.

e

● ● ●   www.alpen-höhenwege.de   ✕

Abenteuer erleben. Wo kann ich am besten in den Bergen Mountainbike fahren? Auf Hütten übernachten? Welche Tour über die Alpen ist die schönste? Allein oder in einer Gruppe wandern? Wie findet man Bergführer? Wir beantworten diese und noch viel mehr Fragen beim Online-Infoabend am 1. Juni um 19 Uhr.

f

● ● ●   www.tatundrad.de/Wiesbaden   ✕

FAHRRÄDER, LIEGERÄDER, MOUNTAINBIKES, E-BIKES, KINDERRÄDER

Hier finden Sie alles, werktags von 8 bis 20 Uhr. Kommen Sie vorbei und machen Sie eine Probefahrt. Jetzt ganz neu: Seit April haben wir auch ein Geschäft in Mainz. Dort können Sie alle Räder für 24 oder 48 Stunden ausleihen.

1   Vorbereitung ─────────────────────────────── SPRECHEN

a Ergänzen Sie die Vokale (*a, e, i, o* und *u*).

1

| N i e | s _ lt _ n | m _ nchm _ l | _ ft | m _ st _ ns | _ mm _ r |

2

 g _ r _ n _ cht   n _ cht s _   g _ rn   l _ b _ r   m _ l _ bst _ n 👍
g _ rn   g _ rn

⚠ jeden Samstag = samstags
jeden Morgen / Nachmittag etc. = morgens …

b Was machen Sie am Wochenende? Schreiben Sie Fragen.

1

Sport?

a Welchen Sport machst du?

b Gehst du gern wandern? Wie oft?

c Spielst du gern Tennis?

3

Ausgehen?

a

b

c

2

Hobbys?

a Was sind ...

b

c

4

Kochen – Freunde?

a

b

c

---

c Arbeiten Sie zu zweit. Wählen Sie eine Frage in **b** und fragen Sie Ihre Partnerin / Ihren Partner. Sie / Er antwortet und ist dann an der Reihe. Verwenden Sie auch Wörter aus **a**.

> ! Eine Antwort wie „Ich spiele Volleyball." ist zu wenig. Erzählen Sie mehr von sich. Machen Sie gern Sport? Mit wem? Wie oft? Wo?

> Welchen Sport machst du?

> Ich mache nicht so gern Sport, aber manchmal gehe ich mit meinen Freunden in den Park und dort spielen wir Volleyball.

2 In der Prüfung

Sie bekommen eine Karte. Erzählen Sie etwas über Ihr Leben.

> ! Sie können sich zu Beginn der Prüfung die Karte in Ruhe durchlesen.
> Sie müssen nicht zu allen Punkten etwas sagen.
> Sie können auch zu einem Punkt mehr erzählen.

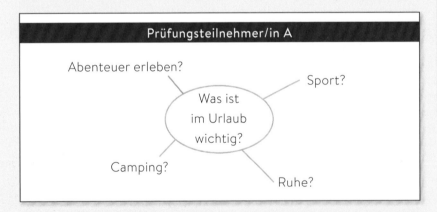

Prüfungsteilnehmer/in A

Abenteuer erleben? — Sport? — Was ist im Urlaub wichtig? — Camping? — Ruhe?

Prüfungsteilnehmer/in B

Filme anschauen? — Mit Freunden chatten? — Was machen Sie mit Ihrem Smartphone? — Wie viele Stunden pro Tag? — Informationen suchen?

> ! Am Ende stellt Ihnen die Prüferin / der Prüfer noch ein oder zwei Fragen. Antworten Sie dann nicht nur mit „Ja" oder „Nein".

1 Vorbereitung ──

a Lesen Sie die Frage und die Antworten genau. Suchen Sie und markieren Sie wichtige Informationen.

1 Wo sollen die Konzertbesucher parken?

[a] an der Stadthalle

[b] auf dem Rathausplatz

[☒] hinter der Stadtmauer

> **!** Achten Sie besonders auf Fragewörter wie *Wann?*, *Warum?*, *Was?*, *Wer?*, *Wie lange?*, *Wo?*.

2 Wie lange kann man nicht auf der linken Fahrbahn fahren?

[a] bis 5 Uhr

[b] bis 8 Uhr

[c] bis 21 Uhr

> **!** Vor dem Hören haben Sie 15 Sekunden Zeit. Sie können die Aufgabe in Ruhe lesen.

2 ◄))
53–54
b Hören Sie jetzt die Informationen und kreuzen Sie in **a** an: [a], [b] oder [c].

c Hören Sie noch einmal und kontrollieren Sie. Sind Ihre Antworten richtig?

2 ◄))
55–59
2 In der Prüfung

Sie hören fünf kurze Texte. Sie hören jeden Text zweimal. Wählen Sie für die Aufgaben 1 bis 5 die richtige Lösung [a], [b] oder [c].

1 Wo muss man vorsichtig fahren?

[a] auf der A7

[b] auf der A17

[c] auf der A71

2 Wie kommt man vom Hauptbahnhof zur Buchmesse?

[a] mit dem Bus

[b] mit der Straßenbahn

[c] mit der U-Bahn

3 Warum gibt es einen Stau?

[a] Baustelle

[b] Personen auf der Autobahn

[c] Unfall

4 Wo gibt es noch freie Parkplätze?

[a] hinter der Sporthalle

[b] vor dem Stadion

[c] es gibt keine Parkplätze mehr

5 Was sollen Autofahrer machen?

[a] auf der A1 bleiben

[b] der Umleitung folgen

[c] nicht überholen

1 **5** → S. 7

★☆ **Lesen Sie den Text und ergänzen Sie in der richtigen Form.** Ⓖ

Meine Eltern haben mir einmal zum Geburtstag ein Skateboard
gekauft (kaufen) (1)! Noch nie bin ich Skateboard
_____ (fahren) (2)! Zuerst hat meine Mutter
mir _____ (helfen) (3) und mich
_____ (halten) (4). Dann habe ich es allein
_____ (probieren) (5) – und dann ist es
_____ (passieren) (6). Meine Mutter hat noch
etwas _____ (sagen) (7), aber ich habe sie
nicht _____ (verstehen) (8). Vor mir war eine Ampel ... da habe
ich wohl nicht _____ (aufpassen) (9). Schon bin ich auf den Boden
_____ (fliegen) (10). War aber nicht so schlimm. Ich bin gleich
wieder _____ (aufstehen) (11). Und dann bin ich einfach wieder
_____ (weiterfahren) (12).

★★ **Was haben Sie in Ihrer Kindheit gern gemacht?** Ⓖ

Finden Sie noch zehn Verben und ergänzen Sie im Perfekt.

v e r k a u f e n | e s s e n p r o b i e r e n f a h r e n b a c k e n b l e i b e n
k o c h e n m a c h e n m i t n e h m e n e r z ä h l e n s c h w i m m e n

FRAGE DER WOCHE:

Was haben Sie in Ihrer Kindheit gern gemacht?

Mario Ponte
(48 Jahre)

Meine Eltern haben ein Eiscafé. Da _habe_ ich früher manchmal
Eis _verkauft_ (1). Aber am liebsten habe ich natürlich vom Eis
_____ (2). Das mache ich heute noch gern.

Jan Schröder
(30 Jahre)

Ich _____ früher im Sommer gern mit Freunden an einen See
_____ (3). Wir _____ etwas zum Essen
_____ (4) und am See ein Picknick
_____ (5). Natürlich _____ wir auch viel im
See _____ (6).

Heike Baumann
(22 Jahre)

Ich _____ als Kind immer in den Sommerferien sechs Wochen
bei meiner Oma _____ (7). Sie
_____ für mich _____ (8) und einen Kuchen
_____ (9). Lecker! Wir _____ immer
zusammen _____ (10) und sie _____ mir dabei Geschichten von früher _____ (11). Das war schön.

2 | 11 → S. 13

★☆ **Markieren Sie das konjugierte Verb in der zweiten Satzhälfte.** Ⓖ

Ergänzen Sie dann *weil* oder *denn*.

1 Emilio arbeitet gern als Kellner, *weil* er so viele
Menschen kennenlernt.

2 Seine Freunde trifft er nicht so oft, *denn* er muss abends und am
Wochenende arbeiten.

3 Am Wochenende ist die Arbeit besonders stressig, _____ so
viele Gäste kommen.

4 Aber das macht auch ihm Spaß, _____ dann wird es nie langweilig.

5 Im Sommer gefällt ihm die Arbeit besonders, _____ er dann auch
draußen arbeiten kann.

6 Manchmal ist er unzufrieden, _____ er gern mehr verdienen würde.

7 Aber das Team gefällt ihm sehr, _____ sie können gut zusammenarbeiten.

8 Er trifft seine Kolleginnen und Kollegen auch privat, _____ sie haben viel Spaß zusammen.

★★ **Held*innen im Alltag: Branko C. Ergänzen Sie.** Ⓖ

1 Branko ist gern Mechatroniker, denn *er liebt Autos.* (Autos – er – lieben)

2 Er arbeitet als Pannenhelfer, weil _____ .
(keine Stelle – gefunden – er – haben – in einer Werkstatt)

3 Im Sommer macht ihm die Arbeit besonders viel Spaß, weil _____ .
(es – warm – da – sein)

4 Im Winter wechselt er nicht gern Reifen, weil _____ .
(seine Finger – da – sein – eiskalt)

5 In den Ferien sind besonders viele Menschen unterwegs, denn _____ .
(alle – wegfahren – wollen)

6 Dann gefällt Branko die Arbeit besonders gut, denn _____ .
(sein – wirklich wichtig – dann – sie)

7 Er erlebt dann auch tolle Sachen, weil _____ .
(er – den Leuten – können – helfen)

3 | 7 → S. 15

★☆ **Lesen Sie die Mini-Dialoge. Was passt? Kreuzen Sie an.** Ⓖ

1 ○ Sind Ben und Tina mit
   ○ ihre ☒ ihrer Wohnung zufrieden?
  ▢ Ja, sehr.

2 ○ Wohnt ihr gern in ○ eure ○ eurer
   Stadt?
  ▢ Ja, Köln ist toll. Wir mögen auch
   ○ unser ○ unserem Stadtviertel.

3 ○ Die Nachbarn grillen schon wieder auf
   ○ ihrem ○ ihren Balkon.
  ▢ In ○ unser ○ unserer Hausordnung
   steht aber: Grillen verboten!

4 ○ Wir suchen eine Wohnung.
  ▢ In ○ unser ○ unserem Haus wird
   nächsten Monat eine frei.

5 ○ Wir hatten noch nie Probleme mit
   ○ unsere ○ unseren Nachbarn.
  ▢ Wir finden ○ unsere ○ unserem
   Nachbarn auch sehr nett.

6 ○ Ihr seht fast nie fern. Warum
   verkauft ihr ○ euren ○ eurem
   Fernseher nicht?
  ▢ Stimmt eigentlich.

★★ **Ergänzen Sie *ihr / sein*, *unser* und *euer* in der richtigen Form.** 🅖

○ Hallo, ich bin Mathias. Ich würde gern das WG-Zimmer anschauen.

◻ Ah ja, wir haben ja schon telefoniert. Ich bin Sara. Hallo. Meine beiden Mitbewohner sind leider nicht da. Aber ich kann dir ja schon mal _unsere_ (1) Wohnung zeigen. Komm mit! Da wohnt Julia. _____ (2) Zimmer ist am größten. Und das hier ist Bens Zimmer. In _____ (3) Zimmer gibt es einen Balkon. Und dieses Zimmer hier ist vielleicht bald dein Zimmer.

○ Super, es gefällt mir und _____ (4) Wohnung ist echt sauber. Gibt es in _____ (5) WG eigentlich einen Putzplan?

◻ Eigentlich nicht, aber wir machen jede Woche einen Putztag. Dann putzen wir zusammen _____ (6) Küche, _____ (7) Bad und _____ (8) Flur.

○ Macht ihr noch andere Dinge zusammen?

◻ Ja, wir putzen nicht nur. Wir sitzen abends oft in _____ (9) Küche und spielen etwas.

○ Und wie ist es mit dem Einkaufen? Teilt ihr _____ (10) Lebensmittel?

◻ Nein, jeder kauft für sich ein.

4 | 9   → S. 31

★☆ **Schreiben Sie die Sätze mit *weil* oder *deshalb*.** 🅖

1 Mein Kollege ist zu spät zum Meeting gekommen, denn er hat den Termin vergessen. (deshalb)
   Mein Kollege hat den Termin vergessen, deshalb ist er zu spät zum Meeting gekommen.

2 Meine Kollegin war nicht pünktlich im Büro, denn ihr Zug hatte Verspätung. (weil)

3 Ich war heute nicht pünktlich im Büro, denn ich habe den Bus verpasst. (deshalb)

4 Unsere Sekretärin möchte flexible Arbeitszeiten, denn sie steht nicht gern früh auf. (weil)

5 Mein Kollege ist gestresst, denn die Präsentation ist immer noch nicht fertig. (deshalb)

6 Unsere Chefin möchte mit ein paar Kollegen reden, denn sie sind nicht immer pünktlich. (weil)

★★ **Schreiben Sie die E-Mail noch einmal. Benutzen Sie** *deshalb* **oder** *weil.* **G**

Hallo Jule,

wie geht's? Mir geht's gut. Der Deutschkurs hier in Berlin macht viel Spaß. Ich spreche schon viel besser Deutsch. Gestern war ich auf eine Party eingeladen. Ich bin spät nach Hause gekommen. Ich habe nur ein paar Stunden geschlafen. Ich bin heute auch total müde. Der Kurs heute Morgen war ziemlich anstrengend. Wir haben einen Test geschrieben. Aber ich habe nicht viel gewusst. Ich habe gestern meine Hausaufgaben nicht gemacht. Ich hatte außerdem zu wenig Zeit. Ich bin zu spät gekommen. Dann hatte ich nicht einmal einen Stift dabei. Na ja, heute war nicht mein Glückstag! So, jetzt muss ich aber los. Ich muss noch Hausaufgaben machen. Und dann gehe ich früh ins Bett.

Liebe Grüße
Joshua

Hallo Jule,

wie geht's? Mir geht's gut. Der Deutschkurs hier in Berlin macht viel Spaß, deshalb spreche ich schon viel besser Deutsch.

> **!** Sie können die Sätze unterschiedlich verbinden, z. B. „Gestern war ich auf eine Party eingeladen, deshalb bin ich spät nach Hause gekommen." oder „Ich bin spät nach Hause gekommen, weil ich gestern auf eine Party eingeladen war."

---

 8 → S. 34

★★ **Was ist richtig? Kreuzen Sie an.** **G**

- ○ Kamal, du bist doch auch BVB-Fan oder?
- ◻ Ja, ich habe seit ⊠ einem ○ einen Jahr kein Spiel verpasst.
- ○ Ich muss beruflich über ○ ein ○ einen Monat im Ausland arbeiten und kann meine Dauerkarte in der Zeit gar nicht nutzen. Möchtest du sie haben?
- ◻ Ach, du hast eine Dauerkarte?
- ○ Ja, schon seit drei ○ Jahre ○ Jahren . Ich bin oft schon über ○ eine ○ einer Stunde vor ○ das ○ dem Spiel im Stadion und treffe dort Freunde.
- ◻ Wann bist du denn genau weg?
- ○ ○ Von ○ Vom 12. Februar ○ bis zum ○ bis 15. März.
- ◻ Perfekt. Das ist vor ○ meinem ○ meinen Urlaub. Da nehme ich deine Karte gern.

⬡ +

★★ **Ergänzen Sie *seit*, *von ... bis* und *über*.** Ⓖ

Denken Sie an die Angaben in den Klammern.

1	**2**	**3**

1

Wir sind
vom zweiten Dezember
bis zum ersten Januar
(2. Dezember–1. Januar)
im Urlaub.
Ab zweiten Januar können Sie
die Ausstellung wieder

....

....

besuchen. (Dienstag–Sonntag)

2

(20 Jahre) sind wir mit unserem
Kabarett-Programm für Sie da.
Das wollen wir groß feiern:

Kabarett mit vielen Künstlern
und Überraschungen. Seien Sie
dabei! (drei Stunden)

3

„Magic Sisters"

(eine Woche) sind die Magic
Sisters mit ihrer Show

(ein Monat) lang
bei uns im Haus zu Gast.

Buchen Sie jetzt Ihr Ticket!

⬡ 5 | 10   → S. 35

★☆ **Schreiben Sie zwei Gespräche.** Ⓚ

Mario, ich habe zwei Tickets für ein Handballspiel gewonnen. Kommst du mit?

Ich möchte zu einer Lesung gehen. Was hältst du davon?

Na, los! Das macht bestimmt Spaß. Der Autor ist interessant.

Komm schon, das ist mal was anderes! Und nach dem Spiel gehen wir ein Bier trinken.

Also, ich weiß nicht. Sport finde ich eher uninteressant.

~~Ich möchte schon, aber ich muss eigentlich ein Referat vorbereiten.~~

Das ist eine gute Idee. Das machen wir.

Okay, einverstanden. Ich komme mit. Aber danach muss ich dann sofort an meinen Schreibtisch.

○ ....

....

....

□ *Ich möchte schon, aber ich muss*
eigentlich ein Referat vorbereiten.

○ ....

....

....

□ ....

....

○ ....

....

....

○ ....

....

....

□ ....

....

□ ....

....

....

★★ **Fridolins und Fridolines Abendplanung.**

Sehen Sie den Comic an und schreiben Sie das Gespräch.

Fridolin: Wollen wir heute Abend in die Oper gehen?
Was hältst du davon?
Fridoline:

 11 → S. 39

★★ **Was passt nicht? Streichen Sie durch. Lesen Sie dann laut vor.** Ⓦ

- Ich finde, Meryl S̶c̶h̶/S treep (1) ist eine s̶/S uper (2) S̶c̶h̶/S auspielerin (3).
- Und sie kann auch s̶c̶h̶/S ingen (4). Ihre S̶c̶h̶/S timme (5) ist echt fantasti s̶c̶h̶/S (6).

- Wie war das Fe s̶c̶h̶/S tival (7) in der S̶c̶h̶/S weiz (8)? Wie waren die Kün s̶c̶h̶/S tler (9)?
- Alles war s̶c̶h̶/S limm (10) und an s̶c̶h̶/S trengend (11). Ich habe jetzt Hu s̶c̶h̶/S ten (12) und S̶c̶h̶/S nupfen (13).

- Wo können Kinder eine S̶c̶h̶/S tunde (14) lang selbst s̶c̶h̶/S tändig (15) s̶c̶h̶/S pielen (16)?
- In der S̶c̶h̶/S tadt (17) gibt es doch viele S̶c̶h̶/S pielplätze (18).

2 🔊 ★★ **Hören Sie und ergänzen Sie den Online-Artikel.** Ⓦ
60

www.istdascool.de/Spot

A   B   C

So lustig kann Werbung sein!

Gestern (1) hatte er Online-Premiere: Der Tier-_____ (2)

von der *Cool*-Bank. Und die _____ (3) ist echt _____ (4)

und macht wirklich _____ (5)! Die Hauptrolle _____ (6)

ein _____ (7). (Natürlich nicht echt, liebe Tierfreunde.) Am Anfang sitzt

es auf einem _____ (8) und _____ (9). Dann geht es in

ein _____ (10). Dort _____ (11) es eine

_____ an (12) und _____ (13) dann

_____ (14) mit viel _____ (15). Danach geht

es zum _____ (16). Es macht _____ (17) und hält

einen _____ (18) in der einen Hand und einen _____ (19)

in der anderen. Echt _____ (20)! Wir geben dem Werbefilm

fünf _____ (21). Denn: Wir sind _____ (22)!

⬡**7** **5** → S. 51

★☆ **Vor Klaras Date. Was passt zusammen? Ergänzen Sie die Satzanfänge.** Ⓖ

> Wir haben Glück mit dem Wetter.

> Ich bin oft zu kritisch.

> Vielleicht passen wir gut zusammen.

> Hoffentlich können wir den Tag genießen!

> Leider bin ich so nervös.

a Ich hoffe, *dass wir den Tag genießen können.* _____

b Schön, _____

c Ich glaube, _____

d Ich fürchte, _____

e Schade, _____

★★ **Profile: Wunsch oder Realität?** Ⓖ

Was steht in Ihrem Profil oder in Profilen
von Freunden oder Bekannten, ist aber
eigentlich anders? Schreiben Sie vier Sätze.

In meinem Profil steht, dass ich nie fliege.
Aber im letzten Sommer bin ich zu einer
Freundin nach Perth geflogen.
In dem Profil von einer Freundin steht,
dass ... Aber eigentlich ...

8 7 → S. 56

★☆ **Was sagt Frau Frei? Lesen Sie die Informationen und ergänzen Sie.** G

> **1**
> Wenn Sie am Monatsende kein Geld bekommen haben, müssen Sie die Personalabteilung kontaktieren.

>>> **INFOS FÜR NEUE MITARBEITER** >>>

1 Sie müssen die Personalabteilung kontaktieren, wenn Sie am Monatsende kein Geld bekommen haben.
2 Wenn Ihr Computer nicht richtig funktioniert, sollten Sie die IT-Abteilung anrufen.
3 Sie sollten mit Ihrem Chef sprechen, wenn Sie Ihre Arbeit nicht schaffen.
4 Wenn Sie etwas nicht wissen, können Sie Ihre Kollegen fragen.
5 Sie müssen Ihren Abteilungsleiter informieren, wenn Sie krank sind.

> **2**
> Sie sollten die IT-Abteilung anrufen, wenn

> **3**
> Wenn

> **4**
> Sie

> **5**
> Wenn Sie krank

★★ *Was machen Sie in der Arbeit, wenn ...?* G

Kreuzen Sie an oder ergänzen Sie Ihre Ideen. Schreiben Sie dann Sätze mit *wenn*.

www.spaß-und-beruf.de/umfrage

HUMOR IM BERUFSLEBEN:
WAS MACHST DU BEI DER ARBEIT, WENN ...?

1 Du hast ein Dokument aus einer E-Mail geöffnet. Jetzt funktioniert dein Computer nicht mehr.
   ○ Ich informiere die IT-Abteilung.
   ○ Ich gehe nach Hause.
   ○ _____

2 Dein Kollege telefoniert sehr laut.
   ○ Ich telefoniere noch lauter.
   ○ Ich erkläre ihm das Problem.
   ○ _____

3 Du bist sehr müde.
   ○ Ich schlafe kurz am Schreibtisch.
   ○ Ich trinke einen starken Espresso.
   ○ _____

4 Du findest ein wichtiges Dokument nicht mehr.
   ○ Ich erkläre das Problem meinem Chef.
   ○ Ich frage meine Kollegen.
   ○ _____

5 Du hast eine neue Aufgabe bekommen.
   ○ Ich freue mich.
   ○ Ich bin überrascht.
   ○ _____

6 Du musst an einem Meeting teilnehmen.
   ○ Ich chatte mit Freunden.
   ○ Ich höre zu.
   ○ _____

1. Wenn mein Computer nicht mehr funktioniert, (dann) gehe ich an einen anderen Computer.

9 **4** → S. 59

★☆ **In der WG. Ergänzen Sie die Mini-Dialoge.** Ⓖ

a ○ Wo ist mein Tablet?
　◻ Das habe ich in _die_ (1) Küche gelegt, auf _____ (2) Tisch.

b ○ Und wo sind _____ (3) Kellerschlüssel?
　◻ Hängen sie nicht neben _____ (4) Tür an _____ (5) Wand?
　○ Nein, leider nicht.
　◻ Vielleicht liegen sie auf _____ (6) Küchentisch
　　unter _____ (7) Zeitungen?

c ○ War meine Jacke nicht gerade noch hier auf _____ (8) Stuhl?
　◻ Ja. Ich habe sie aber in _____ (9) Flur gehängt.

d ○ Ich kann Josys Lieblingspullover nicht finden.
　◻ Liegt er vielleicht noch in _____ (10) Waschmaschine?
　◻ Nein, ich habe ihn gestern auf _____ (11) Sessel gelegt.

e ○ Wo steht _____ (12) Staubsauger?
　◻ Steht er nicht in _____ (13) Küche hinter _____ (14) Tür?
　○ Nein, Entschuldigung! Er steht noch auf _____ (15) Balkon.

Ⓚ
◆ Balkon
◆ Flur
◆ Kellerschlüssel
◆ Küche
◆ Sessel
◆ Staubsauger
◆ Stuhl
◆ Tisch
◆ Tür
◆ Wand
◆ Waschmaschine
◆ Zeitung

★★ **Vrenis Blog: Ergänzen Sie die Verben und Artikel in der richtigen Form.** Ⓖ

● ● ●　　　www.Vrenis-Blog.de　　　✕

Kennt ihr meine Mensa-Geschichte schon? Also passt
auf: Ludwig und ich wollen zusammen Pizza essen.
Ich komme mal wieder zu spät. Ludwig _steht_ (1) schon
an _____ (2) Kasse und hat den Tisch neben
_____ (3) Tür reserviert: Dort
_____ (4) seine Jacke über _____ (5)
Stuhl. Neben _____ (6) Stuhl
_____ (7) sein Rucksack und auf
_____ (8) Tisch _____ (9) seine
Handschuhe. Es _____ (10) sogar schon Getränke auf _____ (11) Tisch. Ich
habe Durst und trinke erst mal etwas. Ich habe gerade meine Sachen auf _____ (12)
Stuhl _____ (13) und suche mein Handy, schon _____ (14) zwei Hände zwei
Pizzen auf _____ (15) Tisch und eine Stimme fragt: „Hat dir meine Apfelsaftschorle
geschmeckt?" „Hä? Das ist doch nicht Ludwigs Stimme!", denke ich. Ich schaue hoch und sehe:
Das ist ja gar nicht Ludwig. Und auch nicht mein Tisch. Ich habe die Apfelsaftschorle von einer
anderen Person getrunken! Wie peinlich! 🙈

 6 → S. 74

★☆ *Woher, wo oder wohin?* Ergänzen Sie die Präpositionen und die Endungen. Ⓖ

Woher kommt Olaf? Er kommt …	Wo ist Olaf? Er ist …	Wohin fährt Olaf? Er fährt …
1 von ein er Freundin	_____ ein _____ Freundin	_____ ein _____ Freundin
2 _____ Einkaufen	_____ Einkaufen	_____ Einkaufen
3 _____ Hause	_____ Hause	_____ Hause
4 _____ Niko	_____ Niko	_____ Niko
5 _____ d _____ Arbeit	_____ d _____ Arbeit	_____ d _____ Arbeit
6 _____ sein _____ Bruder	_____ sein _____ Bruder	_____ sein _____ Bruder
7 _____ d _____ Schweiz	_____ d _____ Schweiz	_____ d _____ Schweiz

★★ Lesen Sie die Nachricht und ergänzen Sie die E-Mail. Ⓖ

Hilfe finden Sie im Kalender.

> Wie geht's? Was machst du so? Gehen wir mal wieder ins Kino?

● ● ●   ✕

Betreff: Deine Textnachricht   ✉→

Sorry, dass ich dir erst jetzt antworte. ☹ Die Woche ist leider ziemlich stressig. Am Montag fahre ich *zu meinen Großeltern* (1). Am Dienstag bin ich _____ (2) und dann bin ich _____ (3). Am Mittwochnachmittag gehe ich _____ (4). _____ (5) Arzttermin fahre ich direkt _____ (6) und erst dann _____ (7). Am Donnerstag bin ich _____ (8). Einen Tag später gehe ich _____ (9). Am Samstag bin ich nur _____ (10). Da habe ich Zeit. Wollen wir uns da treffen?

---

15 MO	**16** DI	**17** MI	**18** DO	**19** FR	**20** SA
08	08	08	08	08	08
09	09	09	09	09	09
10 Oma +	10	10	10	10	10 ☺ ⌂
11 Opa ♡	11	11	11 Konferenz	11	11
12	12	12	12	12	12
13	13	13	13	13	13
14	14	14	14	14	14
15	15 Chorprobe	15	15	15	15
16	16	16:45 Praxis Dr. Paula Stern	16	16	16
17	17:30 Tennis	17	17	17	17
18	18	18 Yoga-Kurs	18	18 Friseur	18
19	19	19 ♡⌂	19	19	19
20	20	20	20	20	20
21	21	21	21	21	21
22	22	22	22	22	22

11 **3** → S. 77

★ **Was passt nicht? Streichen Sie zwei Wörter durch.** G

a Meine Freundin hasst Camping. Sie hätte ~~wäre~~ ~~würde~~ gern ein Zimmer in einem Luxushotel. Sie hätte wäre würde gern in einem Bett schlafen.

b Unsere Kinder machen nicht gern Campingurlaub in den Bergen. Sie hätten wären würden gern am Strand. Sie hätten wären würden am liebsten den ganzen Tag WLAN.

c Bergwandern ist echt anstrengend. Ich hätte wäre würde lieber ein paar Kilo weniger auf dem Rücken und eigentlich hätte wäre würde ich am liebsten schon wieder im Tal.

d Wir hätten wären würden gern weniger arbeiten. Denn wir hätten wären würden mehr Freizeit.

e Es ist kalt und euer Zelt ist unbequem? Ihr hättet wärt würdet am liebsten im Süden? Ihr hättet wärt würdet gern einen Campingbus? All das findet ihr auf www.campingbus.ch zu günstigen Preisen!

f Du magst Urlaubsreisen nicht besonders? Du hättest wärst würdest gern deine Ruhe und hättest wärst würdest shoppen? Urlaub auf dem Relaxsofa! Jetzt bei Kore tolle Sofas kaufen!

★★ **Lisa jobbt in einer Hütte. Welche Wünsche hat sie? Schreiben Sie.** G

1 mal länger schlafen   2 mal eine Auszeit haben   3 auch mal draußen in der Natur sein

4 mal wandern   5 Aussicht genießen   6 weniger Stress haben

1 Ich würde gern mal länger schlafen.

4

2

5

3

6

12 | **6**   → S. 82

★☆ **Eine Demonstration. Was fragen die Touristen?** Ⓖ

Schreiben Sie indirekte Fragen.

1 Ich würde gern wissen, _was hier los ist_ . (Was ist hier los?)

2 Könnten Sie mir bitte sagen, _____ ?
(Warum findet diese Demonstration statt?)

3 Wissen Sie, _____ ?
(Dauert die Demonstration noch lange?)

4 Ich wollte fragen, _____ .
(Kann man in der Innenstadt parken?)

5 Ich weiß nicht, _____ .
(Wie kommt man in die Fußgängerzone?)

6 Ich möchte wissen, _____ .
(Gibt es eine Buslinie?)

★★ **Informationen zum Touristenticket.** Ⓖ

Was fragt der Tourist? Schreiben Sie passende
indirekte Fragen. Verwenden Sie verschiedene
Einleitungssätze.

Könnten Sie mir bitte sagen …

Ich wollte fragen …

Ich würde gern wissen …

1 ○ _Könnten Sie mir bitte sagen, wie viel das Touristenticket kostet?_
  ▫ Es kostet 14 Euro.

2 ○ _____
  ▫ Es ist 24 Stunden gültig.

3 ○ _____
  ▫ Ja, man kann mit allen öffentlichen Verkehrsmitteln fahren.

4 ○ _____
  ▫ Es ist nur in der Innenstadt gültig.

5 ○ _____
  ▫ Ja, es gibt Nachtlinien. Sie fahren einmal pro Stunde.

6 ○ _____
  ▫ Nein, der Eintritt in die Museen ist nicht kostenlos, aber mit dem
    Touristenticket bezahlen Sie weniger.

(Sg.) / (Pl.) = Diese Wörter kommen so nur im Singular / Plural vor.

ugs. = umgangssprachlich

Ⓐ = österreichische Varianten

🇨🇭 = Schweizer Varianten

Ⓓ = deutsche Variante

Der Wortschatz zu „Fokus Beruf" ist fakultativ. Er gehört nicht zum regulären Lernwortschatz.

---

1 **Mein Vater Vittorio war der Erste hier!**

1a ◆ das Jubiläum, Jubiläen _____ Meine Firma hat im März ihr ~ gefeiert. 20 Jahre!

◆ die Europameister-schaft, -en _____ Italien hat die ~ gewonnen.
  ◆ die EM (Sg.)

> Lernen Sie lieber jeden Tag 10 Minuten als einmal in der Woche zwei Stunden.

3b ◆ das Finale, - _____ Familie Moretti hat zum EM-~ alle Freunde eingeladen.

◆ der Neffe, -n _____ = der Sohn von meinem Bruder / meiner Schwester

◆ die Nichte, -n _____ = die Tochter von meinem Bruder / von meiner Schwester

◆ der Preis, -e _____ Antonios Nichte hat für das Eis schon einen ~ bekommen.

probieren _____ Der Reporter hat das Eis noch nicht ~.

verkaufen _____ Schon vor 60 Jahren hat Vittorio Eis ~.

4 behalten _____ Dann ~ Sie die beiden Kärtchen.
  (⚠ du behältst, er / es / sie behält), hat behalten

> Lernen Sie immer alle Verbformen auswendig (*Präsens* und *Perfekt* + *haben* oder *sein*).

5 **Aktivitäten in der Kindheit**

draußen übernachten

auf Bäume klettern

Fußballbilder sammeln

Skateboard fahren (⚠ du fährst, er / es / sie fährt, ist gefahren)

Comics lesen (⚠ du liest, er / es / sie liest, hat gelesen)

zeichnen (⚠ du zeichnest, er / es / sie zeichnet)

Süßigkeiten essen (⚠ du isst, er / es / sie isst, hat gegessen)

Seil springen (⚠ er / es / sie ist gesprungen)

basteln

Tagebuch schreiben
(⚠ er / es / sie hat
geschrieben)

Schneemänner bauen

Lernen Sie alle unregelmäßigen Verbformen auswendig. Hilfe finden Sie ab Seite 129.

5a früher _____ Bist du ~ auf Bäume geklettert?

◆ die Kindheit (Sg.) _____ Hast du in deiner ~ viel gemalt?

6 ◆ die Geschichte, -n _____ Die schönste Eis~

auf|passen _____ Also ~ ~: wir heiraten!

◆ das Mal, -e _____ In Vittorios Eiscafé habe ich Amelie das erste ~ gesehen.

◆ die Sorte, -n _____ Amelies Lieblings~: Champagner-Kirsch!

jed- / letzt- / nächst- _____ Wann? ◆ en Monat / März / Herbst
   ◆ es Jahr / Wochenende
   ◆ e Woche

7a vor|stellen (sich, etwas) _____ Und ~ euch ~: ...

◆ die Mensa, -s
   oder Mensen _____ ○ Wo habt ihr euch das erste Mal getroffen?
□ In der ~.

◆ das Treppenhaus, ⁼er
Ⓐ ◆ das Stiegenhaus,
   ⁼er _____ □ Im ~.

◆ die Universität, -en
   ◆ die Uni, -s _____ □ An der ~.

◆ der Post, -s _____ Schreiben Sie eine Geschichte als ~.

◆ der Sport (Sg.) _____ Nach dem ~ gehen wir oft in ein Restaurant.

2 Weil meine Arbeit wirklich wichtig ist.

1 ◆ die Panne, -n _____ Oh nein! Eine Auto~!

1a ◆ die Pannenhilfe, -n _____ ○ Mein Auto ist kaputt!
□ Ruf doch die ~ an.

◆ der Wagen, - _____ Oleg hat meinen ~ schon oft repariert.

◆ die Werkstatt, ⁼en
Ⓒ Ⓗ ◆ die Garage, -n _____ Das Auto muss in die ~.

2 ◆ der Pannenhelfer, - _____ Branko ist als ~ unterwegs.

◆ die Pannenhelferin,
   -nen _____

◆ die Messe, -n _____ Branko soll zuerst zur ~ fahren.

3 ◆ der Held, -en _____

◆ die Heldin, -nen

◆ der Alltag (Sg.)   ↔ ◆ der Feiertag

3a aufgeregt   Meine Freundin ist total ~.

aus|machen   Das ~ mir nichts ~./ Das stört mich nicht.

◆ die Batterie, -n   Es war nur die ~.

◆ die Eile (Sg.)   Alle sind in ~.

◆ der Erfolg, -e   Das Casting war ein ~.

erleben   Das hat er schon ~.

◆ die Ferien (Pl.)   In den Sommer~ wollen alle weg.

◆ die Freikarte, -n   Ich habe zwei ~ für das Musical bekommen.

furchtbar   Die Finger sind eiskalt, das ist ~.

hart   Im Winter ist die Arbeit oft ziemlich ~.

◆ die Kälte (Sg.)

leicht   ↔ schwer

◆ die Oper (Sg.) (Haus)   Er hatte einen Termin:
                                       ein Casting an der ~!

◆ der Reifen, -
ⓒ auch: ◆ der Pneu, -s

◆ die Rolle, -n   Er hat die Haupt~!

stressig   In den Sommerferien ist die
                                       Arbeit besonders ~.

verzweifelt   Die Leute sind ~.

◆ der Vorteil, -e   Das sind die ~ von Brankos Arbeit.

◆ der Nachteil, -e

wechseln   Es ist anstrengend, weil ich bei Kälte
                                       Reifen ~ muss.

weil   ○ Warum magst du deine Arbeit in den
                                       Sommerferien besonders gern?
                                       ◻ ~ meine Arbeit dann wirklich wichtig ist!

4 **Arbeitsbedingungen**

im Freien / draußen   drinnen arbeiten   Schicht arbeiten   Überstunden machen
arbeiten (⚠ du
arbeitest, er / es / sie
arbeitet, hat gearbeitet)

(gut / schlecht / viel / ...)
verdienen

feste Arbeitszeiten
haben (⚠ du hast,
er / es / sie hat)

flexible Arbeitszeiten
haben

> **!** Schreiben Sie Gegen-
> satzpaare, wo möglich.
> Sie können sich die
> Wörter dann besser
> merken: z. B.
> *draußen arbeiten*
> *↔ drinnen arbeiten*
> *im Freien arbeiten ↔ ...*
> *Schicht arbeiten ...*

7 ◆ der Mitbewohner, -   Ich bin sauer, weil mein ~ nie aufräumt.

◆ die Mitbewohnerin,
   -nen

◆ der Stress (Sg.)   Ich habe ~, weil ...

3 Unsere WG fehlt mir.

1 auf|bauen   Sie muss noch ihren Schrank ~.

2 anstrengend   Ich finde das ~. 🙁

aufregend   Ich finde das ~. 🙂

aus|ziehen (⚠ er / es /
sie ist ausgezogen)   Ich bin schon früh zu Hause ~.

> **!** Welche trennbaren Verben kennen Sie
> schon? Notieren Sie: *auszieh*en, *einzieh*en,
> *umzieh*en, *wegzieh*en, *zusammenzieh*en ...
> Schreiben Sie Sätze. Sammeln Sie andere
> trennbare Verben, z. B. *...machen*

spannend   Ich bin schon viermal umgezogen.
             Ich finde das ~. 🙂

vermissen (⚠ du ver-
misst)   Was hast du nach deinem Umzug
         am meisten ~?

3b vorbei|kommen   ~ eure Katze Felix noch manchmal ~?

5a Natur und Landschaften

◆ das Ufer, -   ◆ die Landschaft, -en   ◆ der Hügel, -

◆ das Dorf, ⸚er   ◆ das Tal, ⸚er   ◆ das Feld, -er

◆ die Alternative, -n   St. Pauli ist eine echte ~ zur Reeperbahn!

beobachten (⚠ du beobachtest, er / es / sie beobachtet) .... Am Elbstrand kann man herrlich Schiffe ~.

◆ der Sand (Sg.) .... Am Elbstrand kann man im ~ sitzen.

◆ der Fan, -s .... Hier singen die Fußball~.

joggen .... Viele Hamburger ~ an der Alster.

◆ das Bier, -e .... ~ mit Limonade heißt hier „Alsterwasser".

> **!** Welche Getränke kennen Sie noch auf Deutsch? Überlegen Sie und notieren Sie.

◆ die Limonade, -n ....

◆ das Mountainbike, -s .... Mach doch mal eine ~-Tour!

selten .... In Hamburg regnet es ~er als in München.

aktiv .... Ihr seid sportlich und ~?

sportlich ....

übrigens .... ~: In Hamburg gibt es 2496 Brücken!

◆ die Umgebung, -en
(CH) ◆ die Region, -en .... Der „Hasselbrack" ist der höchste Berg in der ~ von Hamburg.

wunderschön .... Es gibt ~e Wiesen und Wälder.

5b ◆ der Norden (Sg.) ....

◆ der Süden (Sg.) .... Was kann man im ~ von Hamburg machen?

◆ der Westen (Sg.) ....

◆ der Osten (Sg.) ....

6 ◆ die Biene, -n ....

◆ der Frosch, ⸚e ....

◆ die Kuh, ⸚e ....

◆ das Pferd, -e ....

◆ das Schaf, -e ....

◆ der Unterschied, -e .... Wie viele ~ finden Sie gemeinsam in drei Minuten?

7a ◆ der Kanal, ⸚e .... Wir machen eine Radtour am Nord-Ostsee-~.

◆ die Nordsee (Sg.) ....

◆ die Ostsee (Sg.) ....

7b außerdem gibt es .... ~ eine Schifffahrt auf der Schwentine.

auf keinen Fall .... Die dürft ihr ~ verpassen!

M **Fokus Beruf: Jobcoaching**

◆ der Bachelor (BA) (Sg.) .... Bachelor of Arts (Prüfung an der Universität)

◆ die Wirtschaft, -en .... ◆ Bachelor in Umwelt- und Betriebs~

◆ die Umweltwirtschaft, -en

(CH) ◆ die Umweltökonomie, -n

◆ die Betriebswirtschaft, -en

ziehen (⚠ er / es / sie ist gezogen)

Ich bin nach Hamburg ~.

◆ die Suche, -n

Im Moment bin ich auf Arbeits~.

◆ die Arbeitssuche, -n

◆ die Pflanze, -n

Tiere, ~, Natur … das finde ich wichtig.

◆ das Profil, -e

Lesen Sie Katharinas ~.

aus|füllen

~ Sie den Fragebogen für Katharina ~.

ab|schicken

einen Fragebogen ~ (E-Mail)

vereinbaren
auch: aus|machen

Bitte ~ Sie mit uns einen Termin per E-Mail.

> **!**
> Wörter können mehrere Bedeutungen haben:
> das Licht *ausmachen* = das Licht *ausschalten*
> einen Termin *ausmachen* = einen Termin *vereinbaren*
> Lernen Sie Wörter immer mit einem Beispielsatz. Schreiben Sie einen Satz und fragen Sie Ihre Lehrerin / Ihren Lehrer.

◆ die Theorie, -n

Die Kombination aus ~ und Praxis finde ich besonders interessant.

überlegen

~ Sie sich weitere Fragen.

◆ der Stichpunkt, -e

Beantworten Sie die Fragen in ~.

4 Deshalb haben wir jetzt sehr viel Arbeit.

1 freitags
(A) am Freitag

> **!**
> In Österreich ist *montags, mittags* … nicht üblich. Man sagt: am Montag, zu Mittag, …

◆ das Homeoffice (Sg.)

Florian arbeitet freitags immer im ~.

◆ das (Online-)Seminar, -e

Adil ist Student und hat viele ~.

◆ das (Online-)Meeting, -s

Ich bin gleich im ~.

1b ◆ die Präsentation, -en

Die ~ muss bis Freitag fertig sein.

gestresst

Florian ist sehr ~.

aus|schalten (⚠ du schaltest aus, er / es / sie schaltet aus)

Der Dozent ~ Adils Mikro ~.

◆ das Mikrofon, -e
  ◆ das Mikro, -s

teil|nehmen .... Adil ~ am Online-Seminar ~.
  (⚠ du nimmst teil,
  er / es / sie
  nimmt teil, hat
  teilgenommen)

◆ der Werbespot, -s .... Ein ~ für Müsli!

auf|gehen .... Da ~ die Sonne ~.
  (⚠ er / es / sie ist
  aufgegangen)

2 mittags .... Ich arbeite gern im Homeoffice, weil
  Ⓐ zu Mittag   ich da ~ zu Hause kochen kann.

4 **Tätigkeiten im Büro**

◆ die Besprechung, -en   ◆ der Vertrag, ⸚e   ◆ die Einladung, -en
Ⓒⓗ ◆ die Sitzung, -en

◆ die Rechnung, -en   ◆ die Geschäftsreise, -n

> **❗** Wenn Sie gut mit Bildern lernen: Zeichnen Sie eine Mindmap. Welche Wörter haben mit „Arbeit" zu tun? Schreiben Sie sie auf. Sie können Ihre Mindmap immer weiter ergänzen.

kontaktieren .... Ich muss heute noch den Kunden ~.

unter|schreiben .... Der Chef ~ den Vertrag.
  (⚠ er / es / sie hat
  unterschrieben)

verschicken .... die Rechnung ~

vor|bereiten .... Ich ~ heute noch die Besprechung ~.
  (⚠ du bereitest
  vor, er / es / sie
  bereitet vor)

5 deshalb .... ~ müssen wir noch heute das
                                  Meeting organisieren.

reden (⚠ du redest, ... Frau Neumann will schon nächste
  er / es / sie redet,   Woche mit uns ~.
  hat geredet)

6b ◆ die Bäckerei, -en .... Du arbeitest in einer ~.

möglich .... Nenne ~e Gründe.

8a dringend .... Ich muss noch ~ Hausaufgaben machen.

8b ◆ der Auftrag, ⸚e .... einen Arbeits~ erteilen

erteilen ....

negativ .... ~ reagieren 🙁

positiv .... ~ reagieren 🙂

übernehmen (⚠ du übernimmst, er / es / sie übernimmt, hat übernommen)	....	Können Sie das bitte ~?
erledigen	....	Ich ~ das.
9 buchen	....	Wir müssen das Hotelzimmer ~.
informieren	....	Wir müssen die Kollegen / das Team ~.
reservieren	....	Wir müssen den Meeting-Raum ~.

5 Ach, komm schon! Das macht bestimmt Spaß!

1 ◆ (das) Eishockey (Sg.)	....	Ein ~spiel im Stadion
◆ das Stadion, Stadien	....	
wählen	....	Ihr ~ ein Datum für euer Überraschungsevent.
◆ die Überraschung, -en	....	
überraschen	....	Wir ~ euch an diesem Tag mit Tickets.
◆ das Ticket, -s	....	
1c enttäuscht	....	Wer ist ~? 😣
begeistert	....	Wer ist ~? 😍

2 Veranstaltungen

◆ das Theaterstück, -e	◆ das (Klavier)Konzert, -e	◆ die Oper, -n / Sg.	◆ das Ballett, -s
◆ die Ausstellung, -en	◆ das Festival, -s	◆ die Lesung, -en	◆ das Musical (Sg.)
◆ das Krimidinner, -	◆ das Basketballspiel, -e	◆ die Zaubershow, -s	◆ das Kabarett, -s

2a schenken	....	Ein Freund hat uns die Tickets ~.
◆ die Story, -s	....	Die ~ war spannend.
fantastisch	....	Die Schauspieler waren ~.

◆ die Ahnung, -en		Ich hatte keine ~.
◆ der Star, -s		Die Zauberer waren Super~.
◆ das Autogramm, -e		Wir haben noch über eine Stunde auf ~ von den Künstlern gewartet.
◆ der Künstler, -		
◆ die Künstlerin, -nen		
warten (⚠ du wartest, er / es / sie wartet)		
◆ das Ende, -n		Es war von Anfang bis ~ super spannend.
◆ die Dauer (Sg.)		Ich habe eine ~karte gekauft.
2c neugierig		Welche Bewertung macht Sie ~?
klingen (⚠ er / es / sie hat geklungen)		Das ~ aber toll!
(CH) tönen		Das ~ gut!
3b ◆ die Tournee, -n		Wann beginnt die nächste ~?
◆ der Clown, -s		Er ist seit 10 Jahren ~.
4b einverstanden		Okay, ~ . 👍
halten (von) (⚠ du hältst, er / es / sie hält, hat gehalten)		Was ~ du davon?
mit|kommen		Ich möchte zum Eishockeyspiel gehen. ~ du ~?
zu|stimmen		einem Vorschlag ~
etwas höflich ablehnen		einen Vorschlag ~
6a ◆ das Klavier, -e		Ich habe zwei Karten für ein ~konzert bekommen.
◆ der Autor, -en		
◆ die Autorin, -nen		Die ~ ist lustig.
jemand		= eine Person
6b überreden (⚠ du überredest, er / es / sie hat überredet)		jemanden ~
überzeugen		jemanden ~
zögernd		auf Vorschläge ~ reagieren
bestimmt		Das macht ~ Spaß!

> **!** Lernen Sie Sätze und Wendungen auswendig, z. B. *Was hältst du davon?* oder *Es gibt … / Es geht um …*

6 Du solltest mehr trainieren.

1a ◆ das Programm, -e		das digitale Fitness~ „Angelina"
1b bereit		Ich bin ~!

los|gehen (⚠ er / es / sie ist losgegangen)	....	Es kann ~!
2a trainieren	....	Du solltest mehr ~.
abends Ⓐ am Abend	....	Du solltest ~ früher ins Bett.
◆ die Einheit, -en	....	Ab morgen könnten wir die Trainings~ verdoppeln.
verdoppeln	....	

> ❗ Lernen Sie auch mal zu zweit.
> Schreiben Sie 10 neue Vokabeln auf
> Karteikarten und fragen Sie Ihre
> Lernpartnerin / Ihren Lernpartner.

3 an deiner Stelle	....	~ würde ich Kollegen treffen.
3a niemand	....	Ich kenne ~en in der Stadt.
häufig	....	Er kommt ~ zu spät.
◆ das Kilogramm, -(e) ◆ das Kilo, -s	....	Sie wiegt drei ~ zu viel.
wiegen (⚠ er / es / sie hat gewogen)	....	
4 ◆ die Sportart, -en	....	

Sportarten

◆ (das) Judo (machen)

◆ (das) Badminton (spielen)

◆ (das) Golf (spielen)

◆ (das) Tischtennis (spielen)
🇨🇭 *auch*: ◆ (das) Pingpong

◆ (das) Walken / walken
(⚠ du gehst walken)

◆ (die) Aquafitness (machen)

◆ (das) Rudern / rudern

◆ (das) SUP (Stand-Up-Paddeln) /
mit dem SUP fahren

◆ (das) Tauchen / tauchen

5a   unterschiedlich .... → der Unterschied

◆ die Meinung, -en .... eine unterschiedliche
~ haben

morgens .... ↔ abends
Ⓐ in der Früh

direkt .... Ich habe alle Übungen
~ auf meinem
Smartphone.

◆ die Entspannung .... Allein durch den Park
laufen – das heißt
für mich ~!

kostenlos .... Und die App ist auch ~!
Ⓐ / Ⓒ︀Ⓗ *auch*: gratis

◆ der Verein, -e .... Sport im ~ mag ich
überhaupt nicht.

◆ die Unterstützung, ... Manchmal brauche
-en ich etwas ~.

◆ der Mitarbeiter, - ....

◆ die Mitarbeiterin, -nen ....

◆ die Halle, -n .... Im Winter gehen wir in die Sport~.

◆ die Platte, -n .... Wir haben eine Tischtennis~ in unserer
Firma.

vor allem .... Ich möchte beim Sport ~ ~ Spaß haben.

◆ der Wettkampf, ̈-e .... Deshalb brauche ich auch keine ~.

Das ist nichts für mich! 👎

◆ die Daten (Pl.) .... Die Fitness-App sammelt meine ~.

◆ das Leben (Sg.) .... Und das ist auch sehr wichtig für ein gesun-
des ~.

5b   aus|gehen (⚠ er / es / .... Ich ~ nach dem Sport gern mit Freunden ~.
sie ist ausgegangen)

6a   ◆ die Mannschaft, -en .... Ich liebe ~ssport.

6b   aus|probieren .... Ich möchte eine neue Sportart ~.

> ❗ Sie kennen ein Wort nicht? Überlegen Sie: Kennen Sie vielleicht ein Wort aus der Wortfamilie? Z. B.: *spannend*: wie heißt das Gegenteil? Schauen Sie im Wörterbuch: *entspannend* → die *Entspannung* → ich bin *entspannt*

Ⓜ **Fokus Beruf: Mein Bewerberprofil**

◆ der Bewerber, - .... Schreiben Sie Ihr ~profil.

◆ die Bewerberin, -nen ....

◆ das Management, -s .... Event~

bzw. (beziehungsweise) .... Ich suche eine Stelle als Event- ~
Veranstaltungsmanager.

passen (zu) .... ~ die Stelle zu Joshua?
(⚠ du passt (zu))

bewerben (sich) (⚠ du bewirbst (dich), er / es / sie bewirbt (sich), hat (sich) beworben)		Sollte Joshua sich ~?
◆ die Kenntnis, -se		Agentur sucht Eventmanager mit sehr guten Sprach~ in Deutsch und Englisch.
◆ das Original, -e		Der ~name ist „High School Diploma".
übersetzen (⚠ du übersetzt)		An deiner Stelle würde ich das nicht ~.
◆ die Erklärung, -en		Aber eine ~ ist wichtig.
◆ die Berufserfahrung, -en		Was schreibe ich bei ~?
na ja		~~, was du bisher gemacht hast.
zuständig		Ich bin für die Organisation von Sportveranstaltungen ~.
gerade		Ich muss das fertigmachen. Bin ~ bei „Berufserfahrung".

7 Super, dass es da auch Pizza gibt!

3a ◆ der Alkohol (Sg.)		Ich trinke keinen ~.
4c genießen (⚠ du genießt, er / es / sie hat genossen)		Wir können den Tag ~.
miteinander		Wir können gut ~ reden.
◆ der Humor (Sg.)		Sie hat ~.
kritisch		Sie ist so ~.
hoffen		Ich ~, dass …
fürchten ⒸⒽ befürchten (⚠ du fürchtest, er / es / sie fürchtet)		Ich ~, dass … 👻

6 Speisen und Getränke

◆ das Mineralwasser, -   ◆ die Cola, -s Ⓐ/ⒸⒽ ◆ das Cola, -s   ◆ der Wein, -e   ◆ die Saftschorle, -n

◆ der Kakao, -s   ◆ die Pizza, Pizzen   ◆ das Sandwich, -(e)s   ◆ die Bratwurst, ̈e

♦ die Erdbeertorte, -n   ♦ der Birnenkuchen, -   ♦ der Marmorkuchen, -   ♦ die (Schlag)Sahne (Sg.)

Ⓐ ♦ der Schlagobers (Sg.)

♦ die Birne, -n

♦ die Banane, -n   Ich nehme einen ~nkuchen.

7   ♦ der Imbissstand   am ~ bestellen

7a ♦ der Angestellte, -n

♦ die Angestellte, -n   Was sagt die ~ am Kiosk?

sonst   ○ Ich nehme einen Birnenkuchen.

◪ Gern. Möchten Sie ~ noch etwas?

zahlen   Wir ~ dann gleich.

getrennt   Zahlen Sie zusammen oder ~?

bar   Zahlen Sie ~ oder mit Karte?

♦ die (EC-)Karte

Ⓐ ♦ die Bankomatkarte

7b aufnehmen   ~ Sie Kontakt ~.

(⚠ du nimmst auf,

er / es / sie nimmt auf,

hat aufgenommen)

♦ der Augenblick, -e   Einen ~ bitte. Ich komme sofort.

8   kompliziert   Zusammen bezahlen ist immer ~.

♦ die Kasse   Ich zahle an der ~ im Supermarkt

Ⓐ ♦ die Kassa   mit der EC-Karte.

♦ der Supermarkt, ⸚e

> **❗**
> *zahlen* oder *bezahlen*?
> Ich (be)zahle bar. Ich (be)zahle mit Karte.
> (Be)Zahlen Sie getrennt oder zusammen?
> Wir (be)zahlen dann gleich.
> Du musst deinen Kaffee noch (be)zahlen.

9   liefern

♦ der Lieferservice, -s   Bestellst du regelmäßig beim ~?

9a regelmäßig   Bestellst du ~ Essen?

♦ das (Koch)Rezept, -e   Liest du gern Kochblogs und -~?

♦ der Pfannkuchen, -   Ich kann jeden Tag ~ essen.

Ⓐ ♦ die Palatschinke, -n

Ⓒ ♦ die Crêpe, -s

> **❗**
> Erinnern Sie sich?
> Manchmal braucht man
> einen extra Buchstaben
> zwischen zwei Wörtern,
> z. B. Bananenkuchen.
> Lernen Sie ihn mit!

8 Wenn ich tanze, vergesse ich alles!

1a peinlich _____ Das finde ich ~.

♦ der Raum, ⁀e _____ Die ~ im Büro sind zu klein.

2 **In einer Firma**

♦ der Personalchef, -s

♦ die / ♦ der Azubi, -s
(Auszubildende/r)
Ⓐ ♦ der Lehrling, -e
CH ♦ die / ♦ der
Lernende, -n

♦ die Produktion (Sg.)

♦ die IT-Abteilung, -en

♦ die Personalabteilung,
-en

♦ das Lager, -

♦ die Kantine, -n

♦ der Konferenzraum, ⁀e

♦ das Personal (Sg.) _____ = Alle Mitarbeiter in einer Firma.

2b entfernen _____ ~ Sie drei Zettel. Welche Zettel fehlen?

3a ♦ die Wirtschaft, -en _____

regional _____ = aus der Region

dorthin _____ Auch Tobi geht gern ~ – in den Lunchclub.

♦ das Unternehmen, - _____ Im Herbst möchte das ~ noch
einen Ruheraum einrichten.

ein|richten (⚠ du rich-
test ein, er / es / sie
richtet ein) _____

♦ die Untersuchung,
-en _____ ~ zeigen: ...

♦ der Arbeitnehmer, - _____

♦ die Arbeitnehmerin,
-nen _____

♦ der Arbeitgeber, - _____ Wenn die Arbeitnehmerinnen und
Arbeitnehmer zufrieden sind, ist
das auch gut für die ~.

♦ die Arbeitgeberin,
-nen _____

♦ der Betrieb, -e _____ Auch das ~sklima ist besser, wenn es
allen gut geht.

♦ das Klima (Sg.) _____

3b ♦ der Artikel, - _____ Lesen Sie den Zeitungs~.

besprechen
(⚠ du besprichst,
er / es / sie
bespricht, hat
besprochen)

~ → die Besprechung

> **!** Welche Verben und Nomen aus Verben kennen Sie? Notieren Sie:
> *bedeuten* → die *Bedeutung*
> *besprechen* → ...
> *überraschen* ...
> *untersuchen* ...
> Ergänzen Sie Ihre Liste!

untersuchen

~ → die Untersuchung

4 seltsam

Ich finde es ~, dass sie in der Mittagspause tanzen.

Es wundert mich

~, dass man bei Tolando so viel machen kann.

8 mindestens

Die Musik-Pause sollte ~ einmal pro Woche stattfinden.

9 **Nicht schon wieder!**

1b wählen

Leyla ~ die Nummer von Jamilas Handy.

2 *hängen – legen – liegen – stehen – stellen*

an die Wand hängen

an der Wand hängen (⚠ er / es / sie hat gehangen)
Ⓐ / CH er / es / sie ist gehangen

hinter den Schrank stellen

hinter dem Schrank stehen
(⚠ er / es / sie hat gestanden)
Ⓐ / CH er / es / sie ist gestanden

unter das Bett legen

unter dem Bett liegen
(⚠ er / es / sie hat gelegen)
Ⓐ / CH er / es / sie ist gelegen

◆ das Kissen, -
Ⓐ ◆ der Polster, -
CH ◆ das Polster, -

Ich habe das Handy zwischen die ~ gelegt.

2c ◆ die Wand, ⸚e

3 **Gegenstände**

◆ die Garderobe, -n

◆ das Heft, -e

◆ der Lautsprecher, -

◆ die Pflanze, -n

◆ das Plakat, -e

◆ das Poster, -

◆ der Radiergummi, -s

◆ die Schachtel, -n

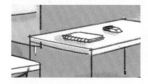

◆ der (Schreib)Block, ̈e

◆ der Zettel, -

◆ der Ordner, -

◆ die Schere, -n

4a ◆ der Beitrag, ̈e .... einen ~ schreiben

◆ die Gewohnheit, -en .... Ich habe diese ~: ...

veröffentlichen .... Sie haben den Artikel heute in der Zeitung ~.

zählen .... Ich wohne im zweiten Stock und ~ die Stufen.

> zählen ≠ zahlen

◆ die Stufe, -n  ....

runter .... ↔ rauf

◆ die Mathematik (Sg.) .... Vielleicht habe ich deshalb ~ studiert.
Mathe (Sg.)
Ⓒ Mathi (Sg.)

gespannt .... Ich bin schon ~!

◆ die Buchhandlung, -en .... Ich gehe oft nach der Arbeit in die ~.

riechen .... Ich muss das Buch aufmachen und
(⚠ er / es / sie an ihm ~.
hat gerochen)

gucken .... Manchmal ~ sie ein bisschen komisch.
Ⓐ / Ⓒ schauen

◆ der Händler, - ....

◆ die Händlerin, -nen .... die Buch~

außen .... Ich esse Pizza immer von innen nach ~.

innen   ↔ außen

ab|schneiden   Zuerst ~ ich den Pizzarand ~.
(⚠ du schneidest
ab, er / es / sie
schneidet ab, hat
abgeschnitten)

komplett   Ich esse alles ~ auf.

5   verlassen
(⚠ du verlässt,
er / es / sie verlässt,
hat verlassen)

kontrollieren   Wenn ich die Wohnung verlasse,
         muss ich vorher alles ~.

schneiden   Ich ~ die Spaghetti immer zuerst klein.
(⚠ du schneidest,
er / es / sie schneidet,
hat geschnitten)

◆ die Briefmarke, -n

aus|suchen   Ich ~ immer schöne Briefmarken ~.

ähnlich   Bei mir ist das ~/ das geht mir ~

süß   Wie ~!

ungewöhnlich   Wie ~!

Ⓜ Fokus Beruf: Fortbildung

◆ die Fortbildung, -en   eine ~ machen

◆ der Patient, -en   Die Arbeit ist nie langweilig: ~ pflegen ...

◆ die Patientin, -nen

pflegen

◆ die Büroarbeit, -en   ... und die ~ machen.

◆ die Betreffzeile, -n   Welche ~ passt?

◆ die Pflegefachkraft, ⸚e   Ausbildung zur ~

◆ die Pflegefachfrau
ⓒⒽ ◆ die Fachfrau
für Gesundheit

◆ der Pflegefachmann
ⓒⒽ ◆ der Fachmann
für Gesundheit

◆ das Fortbildungs-
angebot, -e   Ein ~ für Mitarbeiterinnen und Mitarbeiter

◆ der Anhang, ⸚e   In einer E-Mail schreibt man oft: siehe ~.

◆ die Arbeitszeit, -en   Alle Fortbildungen zählen als ~.

zählen als   ~ Arbeitszeit ~

◆ die Berufserfahrung,
-en   Fortbildungen sind Kurse ohne ~
         und Fachwissen.

◆ der Trick, -s   10 Tipps und Tricks

◆ die Kursdauer (Sg.)   ~: 5 Wochen

vorletzt-   Der Kurs findet am ~en Wochenende
                                          im Oktober statt.

◆ die Beschreibung, -en   Lesen Sie die Kurs~.

◆ das Gericht, -e   Einfach lecker! ~ aus Deutschland,
                                          Österreich und der Schweiz

◆ der Trainer, -   Unser ~ zeigt Ihnen, wie es geht.

◆ die Trainerin, -nen

◆ der Anfänger, -   ↔ der Fortgeschrittene

◆ die Anfängerin

◆ der /◆ die   ↔ das Kind
   Erwachsene, -n

10 Auf keinen Fall! Ohne mich!

1   ◆ der E-Scooter, -   Sind Sie schon einmal ~ gefahren?

    ◆ das Mietauto, -s   Bei Freunden in Kroatien
                                          fahre ich mit einem ~.

    ◆ das Leihrad, ¨er   Ich fahre regelmäßig mit
    CH ◆ das Mietvelo, -s   dem ~ zur Arbeit.

4a dafür   Mit dem E-Scooter fahren? ~ bin
                                          ich wirklich zu alt.

    versprechen   Ich ~ dir, das ist ganz toll.
       (⚠ du versprichst,
       er / es / sie
       verspricht, hat
       versprochen)

    ab|lehnen   etwas ~ ☹

4c definitiv   Wir brauchen das Auto ~!

    gegenüber   Die Teilnehmer stellen sich ~ auf.
    Ⓐ / CH auch: vis-à-vis

    ◆ die Reihe, -n

    ◆ der Stau, -s   nie mehr im ~ stehen …

5a unternehmen   Ich möchte morgen gern etwas ~.
       (⚠ du unternimmst,
       er / es / sie unter-
       nimmt, hat unter-
       nommen)

    herrlich   ~!

    ◆ der Bäcker, -   Bin beim ~ und trinke Tee.

    ◆ die Bäckerin, -nen

    endlich   ~ bin ich auf dem Heimweg.

    ◆ das Chaos (Sg.)   Hier ist totales Verkehrs~.

8 **Verkehr und Verkehrsmittel**

◆ der Zebrastreifen, -

◆ der Bürgersteig, -e /
◆ der Gehweg, -e
Ⓐ ◆ der Gehsteig, -e
ⒸⒽ ◆ das Trottoir, -s

◆ die Fußgängerzone, -n

◆ die Fahrbahn, -en

◆ die Autobahn, -en

◆ die Ausfahrt, -en

◆ der Stau, -s

◆ die Baustelle, -n

◆ die Umleitung, -en

◆ der Unfall, ¨e

◆ der Pkw, -s
ⒸⒽ ◆ der PW, -s

◆ der Lkw, -s

9a ◆ die Nachricht, -en .... Hören Sie die Verkehrs~.

folgen (⚠ er / es / sie .... Man soll der Umleitung ~.
ist gefolgt)

Bundes- .... Auf der ~straße gibt es einen Stau.

vorsichtig

überholen .... Man soll ~ fahren und nicht überholen.

11 **Da wäre ich jetzt auch gern mit dabei!**

1 ◆ die Überquerung, -en .... die Alpen~ = (zu Fuß) über die Alpen gehen

1b ◆ die Aussicht (Sg.) .... Eine schöne ~ haben

2b ◆ das Camping (Sg.) .... Was hätten Sie lieber?
Ein Segelboot oder
einen ~bus?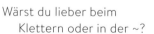

◆ die Sauna, Saunen .... Wärst du lieber beim
Klettern oder in der ~?

◆ das Luxushotel,-s .... Würdest du lieber am
Strand oder in einem
~ übernachten?

3 Reisegepäck

◆ die Zahnbürste, -n

◆ die Zahnpasta (Sg.)

◆ die Sonnencreme, -s

◆ der Sonnenhut, ̈e

◆ das Pflaster, -

◆ das Handtuch, ̈er

◆ der Schlafsack, ̈e

◆ die Wolldecke, -n

◆ das Ladegerät, -e

◆ das Taschenmesser, -

◆ die Taschenlampe, -n

◆ die Trinkflasche, -n

4a

◆ die Wanderung, -en	wandern → die ~ / das Wandern 
◆ der Bergführer, -	Wir sind 5 Leute plus ~ Victor.
◆ die Bergführerin, -nen	
erreichen	Wann ~ wir endlich unsere Hütte?
überqueren	Wir ~ die Grenze.
leer	↔ voll
träumen	Ich ~ von Paris!
◆ die Chance, -n	Ich habe keine ~.
◆ der Berg, -e	Es ist unsere letzte Nacht
◇ die Berge (= Gebirge)	in den ~.
◆ der Knochen, -	Alles tut weh – jeder ~.
◆ der Muskel, -n	Jeder ~ tut weh.
plötzlich	~ zeigt uns Viktor einen Grenzstein.
◆ der Stein, -e	
vorher	Wir fahren zurück. ~ noch schnell einen Cappuccino!
◆ der Zucker (Sg.)	Heute mal mit viel ~!

5

◆ die Kreuzfahrt, -en	eine ~ machen
◆ das Kajak, -s	eine ~tour machen

6

reduzieren	Etwa / Rund die Hälfte (45 % – 55 %) möchte beim Wandern Stress ~.
◆ das Prozent, -e	%

die meisten .... ~ > 80 %

rund (i. S. v. etwa) ....

◆ die Hälfte, -n .... 50 %

◆ das Viertel, - .... 25 %

einige .... ~ wandern auch, weil sie viel erleben wollen.

7 ◆ (das) Wellness (Sg.) .... Weniger als ein Viertel von den Deutschen macht gern ~urlaub.

◆ das Abenteuer, - .... der ~urlaub

---

12 Kopf hoch!

Kopf hoch! .... = Nicht traurig sein!

1a an|sehen .... Oscar ~ mit Milly ein Bilderbuch ~.
(⚠ du siehst an,
er / es / sie sieht an,
hat angesehen)
Ⓐ / ⒞ an|schauen

1b rufen (⚠ er / es / sie .... Oscars Chefin ~ ihn.
hat gerufen)

2 **Persönliche Dokumente**

◆ das Visum, Visa   ◆ der (Reise)Pass, ¨e   ◆ der (Personal)Aus-weis, -e   ◆ das Zeugnis, -se

◆ der Lebenslauf, ¨e   ◆ die Bewerbung, -en   ◆ die Gesundheits-karte, -n
                                                      Ⓐ ◆ die e-card, -s   ◆ die Impfung, -en
                                                      ⒞ ◆ die Versicherten-karte, -n

3 freiwillig .... ein ~es Soziales Jahr (FSJ)

3a erfahren .... Hier ~ du, was du für die Bewerbung brauchst.
(⚠ du erfährst,
er / es / sie erfährt,
hat erfahren)

passen (zu) .... Du bist unsicher, ob der Job zu dir ~.
(⚠ du passt)

◆ Freiwillige | Wir suchen ~ …

◆ die Betreuung, -en | … für die ~ von Kindern.

gleichzeitig | Du bist kreativ und ~ geduldig?

bereits | Du hast ~ einen Schulabschluss.

◆ die Voraussetzung, -en | Es ist ein Vorteil, wenn du einen Führerschein hast, aber keine ~.

◆ die Kenntnis, -se | Du hast sehr gute Deutsch~.

gültig | Du brauchst einen ~en Personalausweis.

eventuell | ~ brauchst du auch ein Visum.

4 ◆ die Ausnahme, -n | Grillen verboten. ~: im Stadtpark in der Picknickzone ist das Grillen erlaubt.

◆ die Öffnungszeit, -en | ~: Mo–Fr 07:00–23:00 Uhr

◆ die Demonstration, -en

◆ die Anmeldung, -en | Ausleihen nur mit ~

historisch | auf ~em Minimum

◆ die Tankstelle, -n | Die ~ sind 24h geöffnet.

> *die Anmeldung*
> → *anmelden*
> Schauen Sie auch im Wörterbuch!

◆ der Zugang, ⸚e | ~ kostenlos, ohne Anmeldung.

◆ der Saal, ⸚e | Im Lese~ darf man nicht reden.

(aus)leihen (⚠ er / es / sie hat ausgeliehen) Ⓐ (aus)borgen | Mit Ausweis kann man ein Buch ~.

◆ der Eintritt, -e | ~ frei!

öffentlich | Radfahren ist in ~en Parks verboten.

◆ die Linie, -n | Die Nacht~ fährt auch nachts.

◆ die Gefahr, -en | Vorsicht: Unfall~!

4 ◆ die Innenstadt, ⸚e | Gibt es in der ~ kostenlos WLAN?

5a kopieren | Ich ~ die Elternbriefe.

ehrlich | ~ gesagt: Das habe ich mir anders vorgestellt.

überlegen (sich) | Ich ~, ob ich eine neue Stelle suche.

5b ◆ die Erfahrung, -en | Welche ~ hat Oscar mit dem FSJ gemacht?

◆ die Leitung, -en | Sprich mal mit der ~ des Kinderhauses!

unterstützen (⚠ du unterstützt) | ~ → die Unterstützung Du ~ das Team.

leiten (⚠ du leitest, er / es / sie leitet) | ~ → die Leitung Ich ~ selbst ein Kinderhaus.

◆ die Geduld (Sg.) | ~ haben

eben .... Das gehört ~ dazu, wenn man
in einem Job anfängt.

5c ◆ die Enttäuschung, -en .... Drücken Sie ihre ~ aus.

M Fokus Beruf: Grafiken beschreiben

◆ die Grafik, -en ....

◆ die Software (Sg.) .... Ich arbeite in einer ~firma.

◆ die Umfrage, -n .... Im Moment organisiere ich eine ~
in unserer Firma.

◆ das Jobticket, -s .... ein ~ von der Firma

◆ das Monatsticket, -s .... ein ~ für Busse und Bahnen
(CH) ◆ das Monatsabo, -s

◆ die Präsentation .... Nele ~ eine ~.
halten (⚠ du hältst,
er / es / sie hält, hat
gehalten)

◆ das Drittel, - .... 33,3 %

◆ das Diagramm, -e .... Das ~ zeigt: ...

◆ das Säulen-
diagramm, -e

◆ das Torten-
diagramm, -e

◆ das Balken-
diagramm, -e

◆ das Ergebnis, -se .... die (Umfrage)-~ präsentieren

präsentieren ....

eine Umfrage machen .... Wir haben eine ~ ~.

◆ die Grafik vorbereiten .... Wir haben eine ~ ~.
(⚠ du bereitest vor,
er / es / sie bereitet
vor)

* Variante in Süddeutschland, Österreich (A) und der Schweiz (CH)

Infinitiv	Präsens er / es / sie	Perfekt er / es / sie
ab|biegen	biegt ab	ist abgebogen
ab|fahren	fährt ab	ist abgefahren
ab|laden	lädt ab	hat abgeladen
ab|schneiden	schneidet ab	hat abgeschnitten
ab|waschen	wäscht ab	hat abgewaschen
an|bieten	bietet an	hat angeboten
an|fangen	fängt an	hat angefangen
an|haben	hat an	hat angehabt
an|rufen	ruft an	hat angerufen
an|sehen (A) (CH) an|schauen	sieht an schaut an	hat angesehen hat angeschaut
an|ziehen	zieht an	hat angezogen
antworten	antwortet	hat geantwortet
auf|gehen	geht auf	ist aufgegangen
auf|nehmen	nimmt auf	hat aufgenommen
auf|stehen	steht auf	ist aufgestanden
aus|gehen	geht aus	ist ausgegangen
aus|schalten	schaltet aus	hat ausgeschaltet
aus|sehen (A) aus|schauen	sieht aus schaut aus	hat ausgesehen hat ausgeschaut
aus|steigen	steigt aus	ist ausgestiegen
aus|ziehen	zieht aus	ist ausgezogen
aus|leihen	leiht aus	hat ausgeliehen
beachten	beachtet	hat beachtet
beantworten	beantwortet	hat beantwortet
bedeuten	bedeutet	hat bedeutet
beginnen	beginnt	hat begonnen
behalten	behält	hat behalten
bekommen	bekommt	hat bekommen
beobachten	beobachtet	hat beobachtet
beraten	berät	hat beraten
beschreiben	beschreibt	hat beschrieben
besprechen	bespricht	hat besprochen
bestehen	besteht	hat bestanden
bewerben (sich)	bewirbt (sich)	hat beworben (sich)
bieten	bietet	hat geboten

bitten	bittet	hat gebeten
bringen	bringt	hat gebracht
denken	denkt	hat gedacht
dürfen	darf	hat gedurft
einlfahren	fährt ein	ist eingefahren
einlladen	lädt ein	hat eingeladen
einlrichten	richtet ein	hat eingerichtet
einlsteigen	steigt ein	ist eingestiegen
empfehlen	empfiehlt	hat empfohlen
enden	endet	hat geendet
erfahren	erfährt	hat erfahren
erfinden	erfindet	hat erfunden
essen	isst	hat gegessen
fahren	fährt	ist gefahren
fernlsehen	sieht fern	hat ferngesehen
finden	findet	hat gefunden
fliegen	fliegt	ist geflogen
folgen	folgt	ist gefolgt
fürchten	fürchtet	hat gefürchtet
geben	gibt	hat gegeben
gefallen	gefällt	hat gefallen
gehen	geht	ist gegangen
genießen	genießt	hat genossen
gewinnen	gewinnt	hat gewonnen
gründen	gründet	hat gegründet
haben	hat	hat gehabt
hängen	hängt	hat gehängt
hängen	hängt	hat gehangen
halten	hält	hat gehalten
heiraten	heiratet	hat geheiratet
heißen	heißt	hat geheißen
helfen	hilft	hat geholfen
herlkommen	kommt her	ist hergekommen
kennen	kennt	hat gekannt
klingen	klingt	hat geklungen
können	kann	hat gekonnt
kosten	kostet	hat gekostet
landen	landet	ist gelandet
laufen	läuft	ist gelaufen

leihen	leiht	hat geliehen
lesen	liest	hat gelesen
liegen	liegt	hat gelegen
		Ⓐ CH ist gelegen
loslgehen	geht los	ist losgegangen
mieten	mietet	hat gemietet
mitlarbeiten	arbeitet mit	hat mitgearbeitet
mitlbringen	bringt mit	hat mitgebracht
mitlnehmen	nimmt mit	hat mitgenommen
möchten	möchte	hat gemocht
mögen	mag	hat gemocht
müssen	muss	hat gemusst
nachlsehen	sieht nach	hat nachgesehen
Ⓐ CH nachlschauen	schaut nach	hat nachgeschaut
nehmen	nimmt	hat genommen
nennen	nennt	hat genannt
raten	rät	hat geraten
reden	redet	hat geredet
reisen	reist	ist gereist
riechen	riecht	hat gerochen
rufen	ruft	hat gerufen
scheinen	scheint	hat geschienen
schieben*	schiebt	hat geschoben
CH stossen	stösst	hat gestossen
schlafen	schläft	hat geschlafen
schließen	schließt	hat geschlossen
schneiden	schneidet	hat geschnitten
schreiben	schreibt	hat geschrieben
schwimmen	schwimmt	ist geschwommen
sehen	sieht	hat gesehen
sein	ist	ist gewesen
sitzen	sitzt	hat gesessen
		Ⓐ CH ist gesessen
sollen	soll	hat gesollt
sprechen	spricht	hat gesprochen
springen	springt	ist gesprungen
starten	startet	ist gestartet
stattlfinden	findet statt	hat stattgefunden
steigen	steigt	ist gestiegen
stehen	steht	hat gestanden
		Ⓐ CH ist gestanden

sterben	stirbt	ist gestorben
teillnehmen	nimmt teil	hat teilgenommen
tragen	trägt	hat getragen
treffen	trifft	hat getroffen
trinken	trinkt	hat getrunken
übernehmen	übernimmt	hat übernommen
überreden	überredet	hat überredet
umlsteigen	steigt um	ist umgestiegen
umlziehen	zieht um	ist umgezogen
unternehmen	unternimmt	hat unternommen
unterschreiben	unterschreibt	hat unterschrieben
vergessen	vergisst	hat vergessen
verlassen	verlässt	hat verlassen
verlieren	verliert	hat verloren
vermeiden	vermeidet	hat vermieden
verschieben	verschiebt	hat verschoben
versprechen	verspricht	hat versprochen
verstehen	versteht	hat verstanden
vorlbereiten	bereitet vor	hat vorbereitet
vorlschlagen	schlägt vor	hat vorgeschlagen
warten	wartet	hat gewartet
waschen	wäscht	hat gewaschen
weglwerfen	wirft weg	hat weggeworfen
wehtun	tut weh	hat wehgetan
weiterlfahren	fährt weiter	ist weitergefahren
werden	wird	ist geworden
werfen	wirft	hat geworfen
wiegen	wiegt	hat gewogen
wissen	weiß	hat gewusst
wollen	will	hat gewollt
zeichnen	zeichnet	hat gezeichnet
ziehen	zieht	ist gezogen
zurücklfahren	fährt zurück	ist zurückgefahren
zurücklrufen	ruft zurück	hat zurückgerufen

Lösungsschlüssel Tests

1 b richtig c falsch d falsch e richtig
f falsch g falsch

2 Lösungsbeispiel: Lieber Remus, ich habe mich
sehr über deine E-Mail gefreut. Das ist eine
tolle Idee. Ich liebe Musicals! Leider habe ich
aber am Mittwoch keine Zeit. Ich muss Schicht
arbeiten. Aber vielleicht gibt es eine andere
Veranstaltung am Wochenende? Hast du
da Zeit? Dann können wir sie ansehen und
danach noch gemeinsam in eine Bar gehen?
Viele liebe Grüße …

3 **a+b** Lösungsbeispiel: Hi! Komm, wir fahren nach
Hamburg! Das ist eine wirklich schöne Stadt
mit vieeeel Wasser. Das liebst du doch! Und es
gibt so viel! Wir dürfen nicht verpassen: 1. Eine
Hafenrundfahrt und dann in der Hafencity auf
den Viewpoint hoch, da haben wir eine tolle
Aussicht! Außerdem gibt es das Maritime
Museum, da kann man die Geschichte der
Schifffahrt erleben. Das ist bestimmt span-
nend. Und natürlich dürfen wir einen Besuch in
der Elbphilharmonie auf keinen Fall verpassen.
Am besten schaue ich jetzt schon nach Tickets.
Aber das ist noch nicht alles! Es gibt so viel
mehr. Und dann esse ich ein Franzbrötchen …
Ich freue mich so! Dein …

4 **Text 2** im Ausland arbeiten; **Text 3** flexible
Arbeitszeiten haben; **Text 4** draußen arbeiten;
Text 5 im Büro arbeiten; **Text 6** flexible
Arbeitszeiten haben; **Text 7** im Ausland arbeiten

1 richtig ist: c, f, g

2 Hallo Jessie, das ist ja schade! Du solltest
auf jeden Fall zum Arzt gehen, weil du
Kopfschmerzen hast. An deiner Stelle würde
ich auch noch einmal mit den Eltern reden.
Was genau willst du? Wenn das nicht geht,
solltest du die Organisation fragen. Du bist
doch bestimmt nicht ganz alleine da, oder?
Geh doch dort hin. Vielleicht kannst du da
Hilfe bekommen. Du könntest vielleicht
auch die Familie wechseln. Aber du solltest
auf jeden Fall in Norwegen bleiben, denn
eigentlich gefällt es dir ja dort. Alles Gute
und viel Glück …

3 2c 3c 4a 5b 6b 7b

4 Lösungsbeispiel: Sehr geehrter Herr Kain,
liebes Team, ich kann gern etwas übernehmen.
Weil ich sowieso schon mit Herrn Schlüter in
Kontakt bin, kann ich den Vertrag vorbereiten.
Das ist kein Problem. Und ich verschicke die
Präsentation an alle Seminarteilnehmer.
Das erledige ich gern. Leider kann ich nicht
noch mehr übernehmen. Ich muss noch ein
Projekt fertigmachen. Deshalb schaffe ich
leider nicht mehr. Ich hoffe, dass das so für alle
in Ordnung ist.
Viele Grüße

1 2C 3A 4B 5A 6B 7C

2 2e 3h 4c 5f 6g 7b

3 Lösungsbeispiel: **A** Das geht mir ähnlich. Immer
wenn ich nicht schlafen kann, dann trinke ich
auch ein Glas Milch. Aber ich esse dann auch
immer etwas. Das ist nicht so gut … **B** Wie sym-
pathisch! Das mache ich auch immer. Ich habe
immer Angst, dass noch etwas an ist. **C** Also das
mache ich nie! Eigentlich ist das eine gute Idee.
Dann kann man gleich Gymnastik machen,
wenn man die Zähne putzt. **D** Das kenne ich.
Mein Mann singt auch immer. Aber ich mag
das nicht so gern. Ich singe immer morgens,
wenn ich unter der Dusche stehe. **E** Wie
ungewöhnlich! Warum machst du das?
Dann ist der Krimi ja nicht mehr spannend.
Du kennst ja das Ende schon.
F Handydiät – das kenne ich. Ich mache das
nie. Aber ich sollte das einmal tun! Das ist eine
gute Idee!

4 Lösungsbeispiel: Ich finde das Brot in
Deutschland auch toll. Aber wir in Kroatien
haben viele Sorten Weißbrot, das liebe ich.
Außerdem kann man bei uns auch vegan essen,
vor allem in den Städten, aber wir essen
eigentlich sehr viel Fisch – und auch gern
Fleisch. Mich wundert es auch, dass man
in Restaurants getrennt bezahlt.
Wir zahlen meistens zusammen, mal der
eine, mal die andere.

1 Plan 1: durch Deutschland; mit dem E-Scooter und einem Freund; Plan 2: nach Italien, mit dem Fahrrad, allein

2 **a+b** Lösungsbeispiel: individuell

3 **Statistik 1:** 2 richtig 3 falsch **Statistik 2:** 4 falsch 5 falsch **Statistik 3:** 6 richtig 7 falsch

4 Lösungsbeispiel: Liebe Tabea, vielen Dank für deine E-Mail. Ich kann so gut verstehen, dass du enttäuscht bist. Aber du musst überlegen, dass du einfach nur ein Praktikum machst. Nur waschen und putzen gehört vielleicht einfach dazu. Ehrlich gesagt glaube ich, das ist normal. Aber hast du schon mit dem Chef geredet? Vielleicht gibt es eine Möglichkeit, dass du an einem Tag etwas anderes machen kannst. Die Menschen dort kennen dich nicht. Vielleicht kannst du manchmal einen Kollegen etwas fragen und ihm dann ein bisschen zuschauen. Ist das interessanter für dich? Wenn du nur vier Monate da bist, ist es vielleicht schwierig, dass du mehr machen kannst. Sprich mit deinem Chef! Kopf hoch.

Quellenverzeichnis

Cover © Getty Images/iStock/Christopher Ames 2016
U2: © www.landkarten-erstellung.de HF/AB

S. 6: A © Getty Images/E+/golero; B © Getty Images/iStock/golero; C © Getty Images/iStock/AlexandrMoroz; D © Getty Images/iStock/Kerrick; E © Getty Images/iStock/Photogirl; F © Getty Images/E+/martin-dm
S. 7: © Getty Images/iStock/MilosStankovic
S. 10: Ü1 © Andrey Popov - stock.adobe.com
S. 11: A © Getty Images/E+/oleg66; B © Getty Images/E+/Juanmonino; Ü5a © Getty Images/iStock/kzenon
S. 13: Ü13 © Getty Images/E+/knape
S. 14: Ü1 © Getty Images/E+/Morsa Images
S. 15: Ü5 von oben: © Getty Images/iStock/Tatjana Damjanovic; © Ermolaev Alexandr - stock.adobe.com; © FurryFritz - stock.adobe.com; Ü7 © Getty Images/E+/AscentXmedia
S. 16: Dorf © Getty Images/E+/Focus_on_Nature; Bach © Getty Images/iStock/DaLiu; Mountainbike © Getty Images/iStock/ArtistGNDphotography; Limo © Getty Images/iStock/_LeS_; See © Getty Images/iStock/SeanXu; Rehkitz © Getty Images/E+/KenCanning; Pause am Fluss © Getty Images/E+/AscentXmedia
S. 17: Ü12: A © Getty Images/iStock/Ale-ks; B © Getty Images/E+/ithinksky; B © Getty Images/iStock/GlobalP; D © Getty Images/iStock/olgalT; E © Getty Images/iStock/ewastudio; Ü13 © ververidis - stock.adobe.com
S. 19: von oben: © Getty Images/iStock/Prostock-Studio; © Getty Images/E+/kali9; © Getty Images/iStock/Ekaterina_Polischuk
S. 20: © Kerstin - stock.adobe.com
S. 21: 1. Reihe von links: © Peter Forsberg / Alamy Stock Foto; © Stefan Loss - stock.adobe.com; © Elke Hötzel - stock.adobe.com; 2. Reihe von links: © Andreas- stock.adobe.com; © saiko3p - stock.adobe.com; © Gerhard1302 - stock.adobe.com
S. 22: © auremar - stock.adobe.com
S. 25: Mann © Getty Images/iStock/HD91239130; Personalausweis © Onidji - stock.adobe.com
S. 27: A © Getty Images/iStock/anyaivanova; B © iStock/LordRunar; C © tournee - stock.adobe.com; D © Getty Images/iStock/den-belitsky; E © Getty Images/iStock/Charday Penn
S. 30: © Getty Images/E+/Yuri_Arcurs
S. 32: Ü1 © photallery - stock.adobe.com
S. 34: © Getty Images/E+/FG Trade
S. 36: Ü3 © Yuliya Apanasenka/Alamy Stock Foto

S. 39: Ü13 © Getty Images/E+/svetikd
S. 40: A © Getty Images/iStock/kosziv; B © Estrella Andrade - stock.adobe.com; C © JuliaNaether - stock.adobe.com; D © nasenbeer - stock.adobe.com; E © Getty Images/iStock/Linda Raymond
S. 42: Ü1 © Getty Images/iStock/Halfpoint; Ü2 © Getty Images/iStock/sumos
S. 43: © Getty Images/iStock/Antonio_Diaz
S. 48: © Getty Images/iStock/Deagreez
S. 50: Ü1:1 © Getty Images/iStock/simonkr; 2 © Getty Images/iStock/STEFANOLUNARDI; 3 © Getty Images/iStock/evgenyatamanenko; 4 © Getty Images/E+/Orbon Alija
S. 51: Ü5 © vulcanus - stock.adobe.com
S. 52: Ü9 Flaggen © robodread - stock.adobe.com
S. 53: © Hueber Verlag/Isabel Krämer-Kienle
S. 55: von links: © Getty Images/E+/PeopleImages; © Getty Images/E+/CreativeDJ; © Getty Images/iStock/Wavebreakmedia; © Getty Images/E+/webphotographeer
S. 56: © Africa Studio - stock.adobe.com
S. 59: Ü3 © Andrey Popov - stock.adobe.com; Ü4 1. Reihe von links: © Getty Images/iStock/Galzpaaka; © Getty Images/iStock/LeszekCzerwonka; © Getty Images/iStock/Photobuay; © Getty Images/iStock/Andrey Nikitin; 2. Reihe von links: © Getty Images/iStock/franconiaphoto; © ArtHdesign - stock.adobe.com; © Getty Images/iStock/dmitriymoroz; © Getty Images/iStock/06photo
S. 62: Ü3 © Getty Images/E+/andresr
S. 65: © Getty Images/iStock/nullplus
S. 66: © Getty Images/iStock/SolStock
S. 69: © Studio Romantic - stock.adobe.com
S. 72: 1 © Franz Pfluegl - stock.adobe.com; 2 © Thinkstock/iStock/bluejayphoto; 3 © Tupungato - stock.adobe.com; 4 © Francesco Scatena - stock.adobe.com; 5 © Vladimir - stock.adobe.com; 6 © Jürgen Effner - stock.adobe.com: Ü2 © sindler1 - stock.adobe.com
S. 75: Ü8: A © stockphoto-graf - stock.adobe.com; B © fefufoto - stock.adobe.com; C, D © fotolia/sunt; Ü9 © Getty Images/iStock/wernerimages; Ü11 © Getty Images/iStock/querbeet
S. 78: Ü5 © Getty Images/iStock/cdbrphotography; Ü6 © Cavan Images - stock.adobe.com
S. 83: Ü9 © Getty Images/iStock/stefanamer
S. 86: © Getty Images/iStock/Maridav
S. 87: Ü4 © Getty Images/E+/SolStock
S. 88: Nele © Getty Images/iStock/Prostock-Studio
S. 93: Messe © Getty Images/Photodisc/Digital Vision

Quellenverzeichnis